COLLECTION S. FISCHER

Maike **Wetzel**

Hochzeiten

Erzählungen

S. Fischer

3. Auflage: März 2000

Collection S. Fischer
Herausgegeben von Jörg Bong und Uwe Wittstock
Band 98
Veröffentlicht im Fischer Taschenbuch Verlag GmbH,
Frankfurt am Main, März 2000
© S. Fischer Verlag GmbH, Frankfurt am Main 2000
Druck und Bindung: Clausen & Bosse, Leck
Gesetzt aus der Joanna und der Neuen Helvetica
auf Apple Macintosh mit Quark XPress 4.04 im Verlag
Printed in Germany
ISBN 3-596-22398-9

Für Frauke, Helga & Manfred
und
H. L.-B.

Inhalt

Einmal Schweden

Die Mitternachtssonne schien auf die Schären bei Västervik. Die lang geschliffenen Felsen lagen wie Walrücken im Wasser der Ostsee. Zwei Schwimmer näherten sich den Steininseln. Sie eilten mit vor Kälte spitzen Schritten zu ihren Handtüchern. Jule beobachtete sie. Sie saß auf den Felsen, nah bei Gunnar in der nie untergehenden Sonne, bewegungslos. Sie kannte ihn nicht. Ihm war es egal. Er solle sie retten – bitteschön. Gunnar lächelte nachsichtig.

Gunnars Welt war fest und klar. Sie hatte überall denselben Bauplan. Gunnar arbeitete für einen schwedischen Möbelkonzern. Er schrieb die Bauanleitungen für die Abholkommoden: DIY – Do it yourself. Jule bewunderte Klarheit und Präzision. Gunnar kannte jedes Möbel bis in den letzten Span. Sie dagegen blieb immer an der Oberfläche hängen, in dem Bemühen, sie zu durchdringen. Mit ihren Fingern fuhr sie über das Preßholz und hörte seinen Gebeten zu: Insert B into A. Use C as a handle. Jule folgte seinen Anweisungen, und die Kiste fiel auseinander.

Sie hatte mal bei der Filmausstattung gejobbt, eine ihrer zahlreichen Hinterhausbeschäftigungen. Die Produktionsfirmen hatten immer bei dem schwedischen Konzern gekauft und die Möbel nach sechs Wochen Drehzeit angeschlagen und leicht zerkratzt wieder zurückgehen lassen. Die Schweden waren die einzigen, die das mit sich machen ließen. Durch Gunnar lernte sie, was für ihn zählte. In jeder Seifenoper tauchten die gleichen Bettlaken auf, die gleichen Teppiche, alle hatten Arbeitsplatz Sven oder Regal Onkel. Sie waren eine große Familie, schwedisches Design für Klein-Dallas in Hellbuche.

Gunnar hatte Frau und Kind. Die kamen schon mit dem Katalog ins Haus. Jule fand das spannend. Sie hatte Gunnar kennengelernt, als ihr Wagen bei Västervik liegenblieb. Kurz vorher war auch ihr Begleiter auf der Strecke geblieben. He annoyed me, sagte sie zu Gunnar. Und so war es auch gewesen. Gunnar verbrachte den Sommer mit seiner Familie in den Schären. Sie hatten eins der rotbraunen Holzhäuser mit den weißen Fensterrahmen, natürlich in einem Birkenhain. Astrid, Gunnars Frau, legte Jule ihre Hand auf den Arm. Willkommen bei uns. Mach's dir gemütlich, sagte sie auf Deutsch mit ihren leicht vorgeschobenen Entenlippen. Ihr Kind war flachsblond und spielte mit den Holzbauklötzen des Möbelkonzerns.

Jule ging mit Gunnar Angeln. Sie hatten Sex hinter einem Busch, und es roch und klebte wie Erdbeereis. Hinterher lachten sie und photographierten gegenseitig ihre Hintern mit dem Tannennadelmuster darauf. Als Jule abreiste, sagte Astrid: Laß uns in Kontakt bleiben. Sie und Gunnar winkten Jule nach, und das Kind krähte schon ihren Namen. Jule schickte Astrid Bücher über deutsche Photographen und einen Gruß an Gunnar. Sie schrieben sich Weihnachtskarten.

Zu Hause in Deutschland kellnerte Jule oder arbeitete als Nachtportier in einem Hotel für Messebesucher. Die Augen offenzuhalten, war das Schwierigste dabei. Sie probierte einige Heilpraktiker aus und wechselte die Krankenkasse. Das mit dem Gerettetwerden verschob sie auf später. Gunnar kam geschäftlich, im Winter danach. Er brachte ein Küchensieb mit und checkte bei ihr im Hotel ein, weil Jule sonst keine Zeit für ihn gehabt hätte. Er scheute sich immer noch nicht, ihren Namen auszusprechen. Sie haßte das. Der Sex war gut. Sie dachte, daß sie das öfter machen sollten. Er behielt sein Kaugummi die ganze Zeit im Mund und putzte sich danach die Zähne. Sie schliefen ein, er mit einer Hand auf ihrer Brust.

Als Gunnar wieder weg war, verlor Jule ihren Job. Sie lag auf dem Bett und probierte sich wegzudenken. Es klappte nicht. Gunnars Telefon war besetzt, mit Astrid wollte sie nicht sprechen. Doch statt an Gunnar dachte sie an Astrids Weichheit, das nachgebende Fleisch ihrer Oberschenkel in dem geringelten Bikini. Möglich, daß sie Orangenhaut bekam. Der Heilpraktiker sagte,

Jules Energien seien im Bauch gestaut. Er jagte ihr eine Akupunkturnadel in den Ellbogen und zwirbelte im Fleisch zwischen Gelenk und Muskeln herum. Es tat weh. Jule verlor die Lust auf Deutschland oder was sie dafür hielt.

Gunnars Wort half ihr weiter. Sie bekam die rote Uniform des Konzerns, stand am Informationsschalter und durfte mit auf die Firmengrillparties. Gunnar war Tausende von Kilometern entfernt, aber es war dieselbe Welt. Sie lernte Schwedisch. Astrid gratulierte zu ihrer guten Grammatik in den Briefen. Im Büro telefonierte Jule mit Gunnar. Er erzählte, das Kind bestehe jetzt darauf Anna genannt zu werden, obwohl es doch Signe hieße. Das käme wohl vom Fernsehen. Jule nickte. Sie sprachen über Bestelllisten und die neue Farbpalette bei den Sofas. Es gab spezielle Codes für die Farben. Die Kollegen hörten zu, einer wollte mit ihr ausgehen. Sie folgte ihm in die Kantine und später ins Kinderkino. Er hatte kurze Nägel und hielt seine Augen im Dunkeln starr auf Minnie Maus gerichtet, während er versuchte, Jules Bluse zu öffnen. Die Mittagspause reichte nur, um bis zum BH zu kommen. Beim Hinausgehen strich er einem kleinen Mädchen über den Kopf. Auf der Kundentoilette rückte Jule ihre Unterwäsche zurecht.

Jule gewöhnte sich das Rauchen an. Die Raucherkabinen waren kleine Raumstationen zur Beobachtung von Kunden und Kollegen, kahle, luftdicht geschlossene Ecken des Verkaufsraumes. Jules Kollegen gingen vorwurfsvoll und Lakritze nuckelnd draußen an den Plexiglasscheiben vorbei. Durch die großen Fenster beobachtete Jule die probeliegenden Paare in der Schlafzimmerabteilung, schwangere Frauen mit enormen Bäuchen. Die Paare lächelten sich gegenseitig an, als hätten sie eine gemeinsame Verabredung. Die rotgekleideten Mitarbeiter halfen den werdenden Müttern von den Matratzen auf, während die Männer an Regalwänden lehnten und versuchten, mit Bleistiftstummeln die Maße der neuen Möbel zu notieren.

Im Sommer besuchte Jule Gunnar und seine Frau. Das Kind war dunkler geworden. Es spielte mit einem kleinen Jungen im Garten. Jule und Gunnar saßen auf der gelben Sitzbank vor dem Haus in den Schären. Jule gehörte da nicht hin. Sie war im Prospekt nicht vorgesehen. Die Bank war für ein Paar gemacht, nicht für zwei Personen. Die beiden stießen sich immer wieder an den Ellbogen, und Astrid, die ihnen gegenübersaß, fragte Jule, ob sie den Platz tauschen wolle. Jule lehnte ab. Sie gab vor sich wohl zu fühlen. Gunnar zog an der Tischdecke, als schämte er sich seiner haarigen Knie. Bald ist Mittsommer, sagte Astrid. Jule nickte und paßte auf, daß ihre Brustwarzen sich nicht durch das T-Shirt drückten. Sie knickte ganz leicht in der Wirbelsäule ein. Astrid war rund und weich, wie für den skandinavischen Winter gemacht. Jule fühlte sich schlaksig, überall aneckend. Ihr Hosenbund schnürte vorne ein und stand hinten ab. Sie konnte nicht atmen. Über dem Tisch brummte ein Insekt, halb Hummel, halb Wespe, riesig. Gunnar blickte hoch. Auf dem Tisch stand Erdbeerkuchen. Astrid sagte, so, Jule sei nun also auch dabei. Es war eine Feststellung. Sie sprach hartnäckig Deutsch mit Jule. Sie habe auch zu lernen, Jule sei nicht die einzige, sagte sie. Astrids stark gesüßter Bohnenkaffee stand in einer blau-weiß karierten Thermoskanne vor ihnen auf dem Tisch. Astrid schenkte immer wieder nach, obwohl Jule abwinkte. Gunnar beobachtete das Insekt. Es kreiste wie ein winziger Helikopter über ihnen. Jule erzählte von ihrer Arbeit. Daß sie wie eine große Familie seien, sie und ihre Kollegen, wie häßlich die Uniformen aussähen und selbstverständlich, ja, sie feierten das Lichterfest. Die Kollegen seien nett. Sogar ihr Zimmer zu Hause habe sich verändert. Ein paar Tücher aus der Stoffabteilung, neue Gardinen, neue Regale, das Zusammenbauen habe wirklich super geklappt, danke. Das Tollste sei, daß es fast nichts koste. Für sie sowieso nicht. Astrid nickte. Gunnar stand auf und ging eine Fliegenklatsche holen.

Abends gingen Jule und Gunnar an die Bucht. Astrid hatte sich schon hingelegt. Die Felsen gaben noch Wärme vom Tag ab. Sie setzten sich. Gunnar saß neben Jule, und ihre Ellbogen berührten sich. Er sehe ganz anders aus, sagte Jule. Das sei der Bart, entgegnete er. Jule dachte an all die Küsse mit Stoppeln, Gunnars Stimme über den Firmenlautsprecher, die Briefe, die Bauanleitungen, die sie gesammelt hatte, und dann kam sie hierher, und ihr Puzzle war plötzlich so komplett, daß sie gar nichts mehr darin zu suchen hatte. Sie stupste Gunnar an. Er sei doch ihr Retter in der Not, ihr emergency saviour, sagte sie. Er schaute sie erstaunt an. Ob sie ein Problem habe, fragte er. Nein. Sie sei wunschlos glücklich, hier mit ihm. Sie küßten sich, ein wenig unentschlossen. Das Tolle an Schweden seien Astrid Lindgren, die Natur und seine Neutralität, sagte Jule. Das habe Schweden schon als Kind für sie besonders gemacht. Es sei ein Märchenland, fern aller Bündnisse. Gunnar war peinlich berührt. Ja, sie hätten schöne Seen, sagte er. Er legte seinen Karoarm um Jule und krempelte ihr den Pullover über den Kopf. Sie schaute ihn an und wollte sagen, halt, ich weiß doch, was du meinst. Ist nicht nötig, wir müssen es nicht tun. Es ist nicht mehr so wichtig. Sie wollte ein anderes Spiel vorschlagen, aber ihr fiel keines mehr ein.

Jule mußte ihr Bett selbst beziehen. Letztes Jahr hatte Astrid das gemacht. Jule teilte ein Etagenbett mit dem Kind. Als sie kam, schlief es schon. Die Fenster standen offen, und sie hörte, wie Gunnar sich im Schlafzimmer nebenan auszog. Sie versuchte geräuschlos das Laken unter die Matratze zu stopfen und die grün karierten Bezüge über die Decke zu ziehen. Sie dachte, wie offen hier alles im Sommer ist, alle Türen und Fenster, immer offen. Die Elche im Garten und die Mücken im Zimmer. Das Kind schnaufte leise im Schlaf. Es sah aus wie ein Welpe, seine Fäuste geballt. Jule zog sich bis auf die Unterhose aus. Sie blickte auf ihren Körper hinab. Er hatte sich nicht verändert.

Gunnar mußte geschäftlich in die Stadt. Er nahm Jule mit. Das große blau-gelbe Wellblechgebäude des Möbelkonzerns ragte wie ein Stützpunkt für Spielsoldaten in die schwedische Landschaft. Es wirkte absurd, übertrieben, umgeben von so viel Schweden, fand Jule. Sie ging durch die Ausstellungsräume, während Gunnar mit seinem Vorgesetzten sprach und neue Möbel für seine Anleitungen abholte. Die schwedischen Kunden waren leiser als die deutschen. Im Sommer war das Gebäude fast leer. Alle Schweden waren in ihren Holzhäusern mit den properen weißen Balken. Zum ersten Mal fiel Jule das Gewirr der Kabel und Rohre an der Betondecke der Möbelhalle auf. Die Ausstellungszimmer darunter kamen ihr vor wie der Set für eine Fernsehserie. Sie wurde wütend, als sie merkte, daß sie nicht wie sonst hinter den Kulissen verschwinden und abkürzen konnte. Einmal in die Verkaufsfläche eingetreten, mußte sie dem Labyrinth bis zum Ausgang folgen. Sie war die einzige, die mit leeren Händen durch die Schranke ging. Gunnar lächelte, als sie es ihm erzählte.

Abends in den Schären gab es eine Brottorte. Das waren schwedische Sandwiches mit mehreren Pasten in vier Schichten übereinander. Gunnar half Astrid in der Küche und küßte sie lange. Er stand hinter ihr und hatte seine Arme auf ihrem Bauch. Jule konnte von der Bank aus Astrids verdrehten Hals sehen.

Jule fuhr nach Hause. In der Firma ließ sie sich für das Lager einteilen. Die Kartons standen in fünf Meter hohen Straßenzügen nebeneinander. Gabelstapler brachten neue Kisten nach. Die Kunden irrten von Straße zu Straße und suchten ihre Möbel. Jule drückte sich an den Kisten entlang und zog die Bauanleitungen heraus. In der großen dunklen Halle verfehlte ein Gabelstapler sie knapp. Sie zwängte sich in eine Lücke zwischen zwei Kartontürmen. Jemand hatte dort einen Liegestuhl mit Sonnenschirm aufgestellt. Jule setzte sich und las die Bauanleitungen. Insert B into A, use C as a handle. Sie hatte das Gefühl, etwas Wichtiges übersehen zu haben. Sie konnte jetzt Schwedisch. Das war doch was. Die Bauanleitungen bildeten bald einen kleinen Wall aus Papier um sie herum. Jule stand auf und kickte sie mit dem Fuß zusammen.

Hochzeiten

Am Sonntag kam ich zu Besuch, und der Geliebte meiner Mutter grüßte mich mit lauten Worten, Rosalie, du, mein Augenschein, willst du nicht ein Stück Braten haben. Natürlich wollte ich, und meine Mutter servierte vorzüglich. Ich war nicht sicher, ob der Schweinebraten sich mit dem Islam vertrug, wie ihn der Geliebte meiner Mutter predigte, doch er kaute und schluckte so gern, daß ich's ihm nicht verderben wollte. Meine Mutter trug die Sonnenbrille, die Wagenrädern gleicht; die Sonne spiegelte sich in den großen Gläsern, und wir saßen auf dem Balkon über der Schnellstraße. Die Autos zischten vorbei, und ab und an winkten wir einem Fernfahrer zu. Faisal regte sich auf und sagte, laßt das sein, ihr Frauen, sonst muß ich euch verhauen. Meine Mutter drückte ihren weichen

Hintern auf seinen Schoß, sah ihn von unten an und sagte, Faisal, Faisal, dein Kinn ist noch ganz glatt, was willst du uns sagen, was wir zu tun und lassen haben. Er lachte dann, strich ihr über den blonden Flaum auf der Wange, und es war da was zwischen den beiden, das mich ganz kirre machte.

22   Faisal hatte einen kleinen Überbiß und eine große Familie, die er verlassen hatte, um hier im Norden Geschäfte zu machen. Meine Mutter hatte nur mich. Sie arbeitete in der Kaufhalle am Imbißstand. Faisal konnte nicht arbeiten. Er war illegal hier. Den lieben langen Tag saß er in der Wohnung, oder seine Freunde besuchten ihn. Sie waren alle wichtige Geschäftsleute, und über kurz oder lang würde er mit seinen geheimen Spekulationen einen großen Coup für sich und meine Mutter landen. Meine Mutter hatte früher mit gebrauchten Autos gehandelt. Sie wußte, was man drehen und was man besser lassen sollte. Ich hab mir da nie Sorgen gemacht. Sie hatte ein einsames Leben gehabt, und Faisal füllte ihre Mitte.

Als ich aufgegessen hatte, lehnte ich mich auf dem Klappstuhl zurück, sog den Staub der letzten Sommertage ein und sagte, Mutter, was wünschst du dir zum Sechzigsten? Sie sagte, ach, Kind, das ist doch noch lange hin, es gibt vieles, was ich vorher zu erledigen hab. Faisal braucht einen neuen Anzug, du siehst, der alte paßt nicht mehr. Faisal strich sich über den Bauch. Und wir fahren weg, am Sonntag, kannst du die Blumen gießen? Wo ich doch zwei Stunden entfernt wohne, wenn die Straßen wieder zu sind. Ich wollte protestieren, doch meine Mutter sagte, wir heiraten am fünfzehnten. Ich war überrascht, daß Faisals Papiere dafür reichten und meine Mutter vor mir unter die Haube kam. Mein Geliebter war leider schon verheiratet. Er war ein großer Finanzhai und seine Frau ein liebliches Geschöpf. Sie standen täglich in der Zeitung. Aber ich will mich nicht beklagen. Ich bekam, was auf der Packung stand. Meine Mutter wollte ein Hochzeitskleid, ein weißes mit Schleppe. Faisal nickte. Ich sollte ihre Liebe bezeugen. Aber da gab's nicht mehr viel zu sagen, als danke, bitte und schön. Wir spülten ab und gossen uns einen Jägermeister ein. Die Dauerwelle meiner Mutter stand um ihr Gesicht wie ein Tortendeckchen.

Am Montag gingen wir zu Natalie-Moden, und die Kleider waren alle schön, doch nicht das, was meine Mutter verlangte. Sie wollte ein jungfräuliches Kleid, eines, das ihre Formen umspielte wie das Wasser die Venus in der Muschel. Die Verkäuferin musterte die Fleischwürste an der Taille meiner Mutter, und es gab nichts, was mich hätte überzeugen können, meine Mutter in dieses Kleid zu nähen. Schließlich kauften wir eines, das nur zwei Nummern zu klein war und eine kleine Schleife über dem Po hatte. Meine Mutter setzte sich auf Diät. Aber bevor sie mit Kalorienzählen begann, schaute sie mich kritisch an und sagte, Rosalie, du hattest nie viele Freunde, im Kindergarten haben sie dich immer als Gefangene genommen, du weintest so schön, aber so wie du jetzt lebst, weiß ich auch nicht, ob du glücklich bist. Ich wußte wirklich nicht, was sie meinte. Die Männer, Rosalie, mögen es nicht, wenn man sie daran erinnert, daß sie nur ein Wegposten sind. Du schaust sie nicht an, Rosalie, das ist ein Fehler, du schaust durch sie hindurch und siehst, daß sie irgendwann abbiegen. Die einen schweigen sich aus, die anderen fliehen unter andere Schürzen, es kann Schlimmeres geben, weißt du. Sie zupfte an der Klarsichtfolie um das weiße Tüllbündel in ihrem Arm. Die Straßenbahn war voll, und vor uns stand ein Mann, den versuchte ich anzuschauen, aber er drehte sich weg. Ich beschloß, meiner Mutter von Justus, Fabian und Michael zu erzählen, den famosen Drei, die mich mal auf eine Bootsfahrt eingeladen hatten, als ich ein weißes Sommerkleid trug und irgendwie so auf dem Steg herumstand. Doch dann fiel mir ein, daß es zu regnen angefangen hatte, als ich in die Ruder griff, und wir hatten wieder anlegen müssen. Das war schade, denn an Land warteten drei Mädchen, und im Auto war kein Platz für mich. Mein Sommerkleid hatte traurig-naß an mir geklebt, und die Penner unter ihren alten Zeitungen hatten mir nachgerufen, ich hätte was verloren. Meine Mutter kaufte Faisal ein arabisches Buch in dem Gemüseladen an der Ecke. Er langweilte sich oft zu Hause. Der Ladenbesitzer sagte, es sei ein gutes Buch, besonders für einen Ehemann.

Alle in der Straße wußten, was bevorstand. Wir schauten Faisal zu, wie er auf dem Sofa von hinten nach vorn blätterte und von rechts nach links las. Ich sagte schnell Tschüs, als ich sah, daß meine Mutter nach den Photoalben griff.

Zu Hause rief ich meinen Geliebten an. Wir könnten doch nach Israel fahren, sagte ich, wenn er noch wolle. Ans Tote Meer, ich hätte es mir anders überlegt. Jetzt sofort, über die Feiertage, bis nach dem fünfzehnten, wenn er wolle. Er sagte, das ginge nicht, ich hätte das früher wissen sollen, jetzt sei eins der Kinder krank, und er könne nicht weg, wenn in der Firma alles drunter und drüber ginge und seine Frau. Er hatte recht, und es war albern von mir in die Wüste fahren zu wollen. Im Büro gab es einen, den ich besonders mochte und ihm deshalb nie Kaffee machte, er hätte ja zu heiß oder zu stark sein können. Ich schaute ihn an, wie er so durch das Büro schlenderte. Ich fragte Sonja, die mir gegenübersitzt, wie viele Menschen ein Mensch braucht. Geistesabwesend murmelte sie, horizontal oder vertikal? Das wußte ich auch nicht. Es hatte in unserer Familie verschiedene Stadien des Wahnsinns gegeben, und ich wollte mich versichern, daß ich ein Leben hatte, bevor sie kamen und mich in ein bereits reserviertes Zimmer steckten. Rosalie, was erwartest du von mir, sagte mein Geliebter. Vor drei Jahren, ja, da wäre alles anders gewesen, aber du weißt doch, wie das ist jetzt, und du hast nie von Kindern gesprochen. Also wirklich, sagte ich, das braucht eine Frau doch nicht zu sagen, das versteht sich von selbst. Und es sei ja wohl nicht zuviel verlangt von einem, dem man nun schon fünf Jahre den Rücken decke. Wie bitte, sagte mein Geliebter. Wenn das so sei, könne ich ja gleich in die Samenbank gehen. Aber da war ich schon einmal gewesen. Die wollten mich nicht.

Ich besuchte Faisal, als meine Mutter arbeitete. Er saß auf dem Klappsofa, eingefahren, auf dem sie nachts schliefen, ausgefahren. Wie das sei, fragte ich ihn, so den ganzen Tag hier zu hocken. Es gab nur einen Raum in der Wohnung, außer dem Klo. Er zuckte mit den Schultern und sagte, er schlafe viel. Ich setzte mich neben ihn.

Meine Mutter und Faisal bestellten das Aufgebot. Mein Geliebter konnte nicht zur Hochzeit kommen, weil er zu bekannt war. Ich mußte ständig auf Toilette. Meine Mutter übernachtete bei mir, um eine reine, neue Braut zu sein. Faisal hatte geglüht vor Aufregung und sich gerade frisch rasiert, als wir ihn am Vorabend verließen. Meine Mutter sagte zu mir, du siehst müde aus, so angestrengt. Das stimmte gar nicht, ich mußte nur aufs Klo. Bei der Abfahrt zu meinem Viertel entschloß ich mich, etwas zu sagen. Faisal ist ein netter Junge, sagte ich, und da ist ja nun nichts dran auszusetzen. Ob das Kleid passe? fragte meine Mutter. Machst du dir nie Sorgen, sagte ich und hätte fast die Ampel übersehen. Daß er dir weglaufen könnte, meine ich, jetzt, wo er rausgehen kann. Nein, antwortete meine Mutter knapp, und ich hätte sie auch fragen können, ob sie an den Weihnachtsmann glaube. Wir aßen Frankfurter und Brötchen zu Abend. Meine Mutter betrachtete den Kalender in der Küche und sagte, morgen gehen wir groß essen, ja. Vielleicht kann dein Freund doch kommen. Sie schlief fest.

Das Kleid paßt, sagte meine Mutter. Es muß, sagte ich und hielt die Sicherheitsnadeln bereit. Die Schleppe bauschte sich auf meinem Rücksitz. Ich drehte die Tangomusik im Radio auf. Meine Mutter konnte nicht singen, ihre Stimme war ganz piepsig. Ich tätschelte ihr die Knie. Komm doch, komm doch her, sang ich. Du bist der eine, der eine, den ich will. Am Standesamt standen Faisal und Tarak, sein bester Freund der letzten Wochen. Tarak gab mir nicht die Hand. Er sprach kein Deutsch. Faisal starrte meine Mutter an, und ich scheuchte sie in das Amt hinein. Er drückte ihre Hand, sie strahlte, und es war schnell vorbei. Tarak gab meiner Mutter eine Vase, die sie gleich an mich weiterreichte, denn sie hatte alle Hände voll zu tun mit Faisal. Ich mußte wegschauen.

Sie waren sehr glücklich, die beiden. Sie fuhren nach Marokko in die Flitterwochen, auf der Postkarte schrieb meine Mutter: Liebe Rosi, versuch's mit türkischem Honig, aber das ist gar nichts gegen die Leckereien hier! Du kannst mein Kleid haben, ich paß da nie mehr rein! Und von Faisal ein kurzer Gruß und eine

Zeichnung. Es war so ein Bausparhaus am Meer und ein kleiner, grinsender Kraftmeier davor. Übernimm dich nicht, schrieb er.

Faisal hatte noch was zu erledigen, die Familie war groß, und es dauerte länger. Meine Mutter kam erst mal allein nach Hause. Sie setzte sich zu mir auf den Balkon. Der Wind blies Sand auf den Campingtisch. Die Körner knirschten zwischen den Zähnen. Meinen Bauch trug ich wie eine Kokosnuß unterm Hemd. Meine Mutter tippte auf das Kind darin. Ich sagte ihr, ja, während deiner Flitterwochen. Den Empfängnistag hatte ich im Kalender etwas nach vorn verschoben. Meine Mutter schwieg. Sie nahm einen Zehnmarkschein und wettete darauf, daß es ein Junge würde. Ich sagte ihr, das würde sie ja sehen.

In der Zwischenzeit

Du kannst dich hier eine Weile nicht blicken lassen,
sagt der schöne Martin, bei dem ich drei Monate ein
und aus gegangen bin. Er zeigt auf die Tür. Der Haus-
meister hat eine Mahnung daran gepinnt. Vier Tage
lang übersehe ich sie. Meine Augen sind geschwollen.
Das kommt und geht bei mir. Ich will ein patentes
Mädchen, sagt Martin. Eine, die mehr als Vanillepud-
ding kann. Eine, die ihr Leben im Griff hat. Ich will
einen und noch einen, sage ich.

David ist am Telefon. Komm vorbei. Du mußt nicht
wieder auf der Lenkstange sitzen. Die Zimmernum-
mer weiß ich nicht mehr. Vor dem Klingelbrett mit
den Zahlenkaskaden unten am Eingang stehe ich hilf-
los. Der Block ist grau und riesig, Studentenstadt. Ich

weiß nur, das Zimmer ist am Ende des Ganges, ganz oben. Ich klopfe zaghaft. Der schläft, sagt Boris, Davids Zimmernachbar. Er nickt mir zu, ich solle eintreten. Die Tür ist offen. Die orangenen Gardinen tauchen das enge Zimmer in warmes Nachmittagslicht. David liegt zusammengerollt auf dem Bett. Ein weicher, stetiger Herzton zieht mich in den Raum. Es ist warm. David streckt mir seine Hand entgegen, und ich lasse mich fallen. Er ist so dünn. Kommst du mit? fragt er. Ich küsse seinen Mund. Die Antwort ist klar. Zoë und Boris hupen schon im Hof. Ich knöpfe Davids Hose zu und lache über seine Stöckerbeine. Ich habe Watte im Magen. David nimmt meine Hand und läßt sie nicht mehr los. Zoë und Boris grinsen während der ganzen Fahrt in den Rückspiegel, wo sie uns übereinanderkugeln sehen. Für den Wagen wird es die letzte Fahrt vor dem Schrottplatz sein. Er gehört Zoë, nur wegen dem Auto nehmen wir sie mit. Wir wollen uns der Karawane in die Zukunft anschließen, alles hinter uns lassen. Boris' rasierter Schädel wippt im Sitz vor mir.

Auf der Autobahn gerät der Wagentroß ins Stocken. Alle drehen die Boxen auf, trommeln, klettern zum Vorderfenster raus, zum Hinterfenster wieder rein, ohne den Boden zu berühren, pilgern von Wagen zu Wagen. Dosenbier. Wir geben Rauchzeichen. Es wird Nacht. Neben der Raststätte stehen die Jungs mit den weiten Hosen, in die eine Menge reinpaßt. Sie holen es raus. Wir zahlen und fahren zurück in den Stau. Ich frage mich, ob sie buchstabieren können, was sie verkaufen. Der Morgen graut über Berlin. Wir schleppen uns in Ingrids Wohnung. Fünf Stockwerke, und die Toilette geht nicht. Wir müssen zur Nachbarin. Die schläft noch mit einem blonden Haarmop neben sich auf der Matratze. Macht ihr nur. Wir schlafen kaum. Ich stecke meinen Finger unter die Achsel und rieche dran. Es gibt keine Dusche. Ingrids Wohnung besteht nur aus Matratzen und Brettern. David fläzt sich auf einem indischen Kissenstapel. Ich sage kein Wort. Boris ist Ingrids Mann. Er hat blauschwarze Flecken am ganzen Oberkörper, die Biologiestudentin mit der Janosch-Ente am Rucksack schröpfte ihn mit dem Mund. Stolz präsentiert er uns die Flecken. Ingrid kriegt Boris' Oberkörper nicht zu sehen. Er behält den Militärparka und die schwarze Lederhose an. Seine Mutter hat sie ihm genäht. Ingrid hat irre Augen, riesige Pupillen, und das Fell einer Straßenkatze auf dem Kopf. Sie nimmt keine Drogen. Wir füllen Pfannkuchen mit Heidelbeeren. Am Spülbecken im Flur gurgeln wir die Tabletten hinterher wie Vitaminzusätze. Ich habe Angst vor der Welle, fürchte, daß sie mich wegreißt. Doch dann scheint die Sonne. Wir schlürfen Wassermelonen in der S-Bahn, geben sie weiter an Kinder, und alles ist harmlos. Es ist warm hier. Wir sind am Zoo. Es beginnt.

Meine Kopfhaut zieht in den Treibsand meines Schädels. Ich spreize mein Gefieder. Alles springt mich an. Die Bäume sind eine Armee von Blättern, ich sehe jedes einzelne. Keiner tritt mir auf den Fuß. Dafür streifen mich Hände, ich genieße es. Ich lasse meine Fingerspitzen über fremde Körper gleiten, als wäre es mein eigener. Wir sind ein Körper, der wabert und schwappt im Rhythmus der Musik, die die Propheten von hohen Wagen herabschicken. Wir können nicht

aufhören. Wir haben keinen Hunger, keinen Durst.
Spüren keine Müdigkeit. Wir lassen uns treiben. Boris
in seinem Tarnanzug, Zoë in ihrem kürzesten Röck-
chen, ich im schottischen Fußballshirt und David mit
dem Les-Negresses-Vertes-T-Shirt von Ingrid, die zu
Hause geblieben ist. Boris hat seine dunklen Brillen-
gläser heruntergeklappt und stampft als russischer
Panzer voran. Zoë zwitschert ihm nach. Wir sind verloren und vereint. Ein dunkler glitschiger Salamander
lebt vor mir auf der Straße. Wir versuchen ihn zu fassen und stolpern hinterher. David nimmt mich auf die
Schultern. Ich streichele seinen kahlen Schädel. Ich bin
die Königin von Saba und reite über die Menschen
hinweg. Ein paar haben es geschafft, sie schaukeln auf
den Ampeln über der Kreuzung. Ich winke. Ein Poli-
zist zieht ein Mädchen in Hot pants am nackten Bein
vom Verteilerkasten. Sie lacht. Er zerrt weiter an ihr.
Sie rangeln. Sie fällt ihm in die Arme. Irgendwann
treffe ich das dicke Mädchen aus der Flötenstunde. Ich
frage mich kurz, ob sie meine Pupillen gesehen hat
und es meiner Mutter erzählen wird. Aber die Flötenstunde ist schon Jahre her. Es gibt nur noch David und

mich. An den Händen, Armen, Beinen spüren wir es.
Seine Augen sind Halbmonde. Er erzählt mir, wie er in
Frankfurt fast von einem Schwulen vergewaltigt wurde. Ich erinnere ihn daran, wie wir uns kennengelernt
haben im Mund unseres gemeinsamen Liebhabers,
und wir müssen lachen. Es gibt nur noch diesen großen Grinsekatzenmund.

Wir tanzen den ganzen Tag. Treten auf der Stelle. Als
es dunkel wird, streunen wir durch die Straßen in die
Clubs. Unsere Füße tun weh, sie pochen ohne unsere
Anwesenheit am Ende unseres Körpers vor sich hin.
Vor der Diskothek verkaufen Jungs Hipp-Gläschen.
Zoë und ich haben keinen Hunger und freunden uns
mit einer weiblichen Zivilstreife an, während Boris
versucht, neuen Stoff zu bekommen. Als er unsere
Freundin entdeckt, will er weiterziehen. Wir enden in
einem zu groß geratenen Badezimmer. Es ist verdun-
kelt, und in die Kacheln sind Fernseher eingelassen,
auf denen japanische Videos laufen. Die Musik ist
sanft. Ich sinke auf einen der Sessel und merke, daß
die Wirkung nachläßt. Boris und David verschwinden

auf dem Klo, das kein Licht hat. Ich komme nicht auf die Idee, daß sie noch etwas nehmen, sonst wäre ich hinterhergegangen. Zoë stampft wie aufgezogen in der Mitte der Tanzfläche und quasselt ununterbrochen. Um Mitternacht hat sie eine halbe Pille genommen, jetzt gehört sie dazu. Sie ist nicht mehr zu stoppen. Sie erzählt, daß sie unfruchtbar ist und daß es ihr egal ist. Ich mag keine Kinder, sagt sie. Wir reden weiter über Frankfurter Würstchen und wo noch ein Fleck ist im Tiergarten, der nicht bepinkelt wurde. Boris und David kommen vom Klo.

Wir streifen weiter, und als die Sonne aufgeht, kommen wir zu dem Gebäude, das sie den Bunker nennen. Auch David und ich zahlen vierzig Mark. Wir lassen uns langsam zermalmen, Musik wie von Bestien. Sie reißt uns die Ohren weg. Maschinen im Bergwerk. Wir drücken uns durch enge dunkle Gänge, die kein Umdrehen erlauben. Die Wände schwitzen. Boris ist in seinem Element, er genießt jeden Schlag. Zoë ist ihm verfallen und umkreist ihn wie eine Aufziehpuppe. Ich sehe Kurio, der als Sushikoch arbeitet und mit seiner Harley zum Nordkap fährt. Zoë küßt ihn, weil Boris so weit oben ist und Kurio klein und besser erreichbar. Ich muß raus.

Wir gehen zum Parkplatz, der voller Tanzleichen liegt, tote Clowns in Karohosen. Einem Mädchen ist die Perücke verrutscht, ihr Bein zuckt noch im Schlaf. Unter türkisen Haaren kriecht es dunkelblond hervor. Ich stippe ihr meine rote Schuhspitze ins Gesicht, kann die Bewegung nicht dosieren, ihr Kopf fliegt zur Seite. Alles steht still. Sie schreit auf und greift nach meinem Bein. Die Strumpfhose reißt sofort. Ich werfe meinen Körper nach hinten, wo er mit einem dumpfen Schmerz ankommt. Mein Stiefel ist wieder im Gesicht der anderen. Ihre Perücke liegt am Boden. Ich habe ihre Augen verloren, das Mädchen schon vergessen. Langsam drehe ich mich um und gehe. David steht am Bürgersteig und wartet darauf, daß wir uns vereinigen. Das kann lange dauern. Vielleicht nicht mehr heute, vielleicht an einem anderen Morgen.

Wir sinken auf eine Parkbank. Ich habe Angst. Bin taub am ganzen Körper. Sprich mit mir, fordere ich. Es sind die ersten Worte, die ich seit Stunden spreche. Es sind die letzten. Die Leere ist schon über mir wie ein hellblauer Müllsack. Meine Uhr zappt durch die Zeit. Ich sehe um die Ecke der Schule, vor der die Kinder lagern, eine Gestalt im weißen Gewand laufen, wie für den Henker gekleidet, die Kapuze so tief, daß ich nichts erkenne. Sie huscht davon mit einem Wehen ohne Wind. Ich sehe, wie die Kinder ins Gebüsch pinkeln. Zwei Jungs vor uns am Sandkasten tauschen Fußballbilder. Ich rupfe meine Wimpern einzeln aus, puste sie fort und wünsche mir ein Ende. Im Krankenhaus gab es ein Rad am Ende des Bettes. Es fuhr einen hoch oder runter. Das ist vorbei. Der Narkosearzt erzählte mir von seinem Sohn. Eine Maske mit Augen über mir, ich wußte nicht, wer er war, er rammte mir Spritzen in den Rücken, braune Augen, darüber war ich froh. Er hielt meine Hand, als ich anfing zu zittern. In der Küche knabbert einer Pistazien, ich fasse nach seinen Ohren, sein Körper am Boden, sein Körper nimmt Pistazien, die Sirenen heulen, ich rieche meinen Schweiß und versenke mich. Wir können Pillen einschmeißen und darauf warten, daß die Ritter das Visier hochklappen, die Helme öffnen, und wir sehen, daß sie leer sind wie Konserven.

Als ich zurückkomme, sitzt David noch auf der Bank, genau wie vorher. Doch er ist nicht mehr da. Die Angst hat ihn gefressen. Zusammen schleppen wir uns durch den Tag, besuchen unseren Brautvater, in dessen Mund wir uns trafen, was uns gestern zum Lachen brachte. Wir gehen über den Alexanderplatz. David schweigt, ich keife ihn an. Er geht, und ich bleibe in Ingrids Dichterwohnung mit dem Rotwein auf dem Boden, Unsinn plappernd. Kein Abschied. Auf der Heimfahrt kann Zoë das Gaspedal nicht mehr treten. Ihre Füße sind eine einzige Blase. Boris hält seine Arme weit weg vom Körper, er hat sich unter den Achseln wundgescheuert. Seine Augen liegen in schwarzen Tälern. Ich bin vier Kilo leichter, zittrig und nervös, aber ich weiß, um mich umzubringen, muß ich auf die Fahrbahn rennen.

Manchmal denke ich an David, während ich den Müll rausbringe. Eines Tages steht der schöne Martin vor der Tür. Die Luft ist rein, willst du nicht zurückkommen, sagt er. Ich nicke mit dem Kopf und sage nein. Ich schließe die Tür und beginne, einen Fuß vor den anderen zu setzen. Ich komme bis zum Fenster. Ich stehe und warte. Ich will einen und noch einen.

Der König

Der König wohnte im Haus neben uns. Er hatte einen
Swimmingpool. Im Winter stand das Becken wie eine
große Hutschachtel auf dem vereisten Rasen. Mit dcn
ersten Krokussen zog der König die Plane zurück und
ließ Wasser einlaufen. Der König hatte eine Tochter,
die Gärtnerin. Sie stand im Garten und sprach mit den
Blumen. Wir hörten sie flüstern: Er hat sie geschlagen,
ganz fest. Die Lippe ist ihr aufgesprungen. Sie konnte
nichts essen, drei Tage lang. Die Blumen wippten mit
den Blüten.

Der König war U-Bahn-Führer. Den Tag verbrachte er
in den Schächten unter der Stadt, abends tauchte er im
Pool unter. Das Wasser schwappte über den Rand,
wenn er sich mit seiner roten engen Badehose ins

Becken gleiten ließ. Stundenlang lag er an die Leiter geklammert oder paddelte die zwei Meter fünfzig quer durch das Becken, wenn die Sonne weiterzog. Der König hatte einen Bauch. So einen Bauch hatten wir noch nie gesehen. Wir versuchten oft ihn zu beschreiben, unsere Nasen dicht am Gitternetz des Zauns. Wie eine Bratgans, sagte meine Schwester. Wie ein Walroß, ein Globus, ein Wasserball. Wie zehn phantastisch fette Jahre. Mehr fiel uns nicht ein. Zehn phantastisch fette Jahre. Das hieß: nie auf Coladosen getreten, nie einen Spiegel zerworfen, nie schwarze Katzen kreuzen gesehen. Wir schafften das nicht. Mein Vater sagte oft, der Lotto-Otto, so hieß der König bei ihm, verdient in einer Sekunde mehr als ich in einem Monat. Aber verdienen tut er es nicht, setzte er trotzig hinzu. Meine Mutter wollte das nicht hören. Sie fing dann an zu singen: Sabbelschnut, war dem kleinen Mann zu gut, wollt' er keine Kohle machen, jagen ihn die Siebensachen. Mein Vater schlug ihr auf den Hintern, und sie lachten. Meine Schwester und ich sangen das Lied beim Zähneputzen, wenn wir allein im Badezimmer waren und mit unseren Zahnbürsten im Mund auf dem Flauschteppich herumtanzten. Ich schubste meine Schwester, so daß sie auf die kalten Fliesen trat. Sie schrie nach meiner Mutter, aber die hörte uns nicht. Vor den Fenstern sahen wir die Abendbeine der Passanten vorbeischlurfen. Souterrain, nannte meine Mutter unsere Wohnung. Kellerloch, sagte mein Vater. Kein Licht, keine Luft.

Der König hatte einen großen Garten. Seine Tochter, die Gärtnerin, war immer allein darin. Sie wässerte die Blumen, dann sahen wir sie hinter dem Rosenbusch hocken. Meine Schwester sagte, iiih, das stinkt. Ich sagte, Quatsch, das ist gut für die Rosen. Stinkt trotzdem, sagte meine Schwester. Die Rosen des Königs, die brauchen die Gärtnerin, nuschelte ich. Du spinnst ja, sagte meine Schwester und ging ins Haus. Ich schaute zu der Gärtnerin auf der anderen Seite des Zauns. Sie hielt ein Ahornblatt in den Händen und strich leicht darüber. Sie rief: Es kräuselt sich. Was ist mit meinen Bäumen? Ich sah ihre Unterlippe zittern. Sie hatte große wasserblaue Augen und schwarze Locken. Sie sah aus, als sollte sie nicht in die Sonne. Aber sie war immer draußen. Ihre Haut sprenkelten braune Flecken. In ihrem Haar konnte man Nester bauen. Sie ging nie in den Pool. Der König griff oft nach seiner Tochter, wenn er nach Hause kam. Sie entwischte ihm. Der König schaute bekümmert. Wir hörten ihn sagen: Ich wünschte, du wärst anders geworden. Warum gehst du nicht raus? Spiel mit ihnen. Die Gärtnerin hörte ihn nicht. Sie paßte auf, daß er ihre Pflanzen nicht zertrat. Wenn er ins Haus ging, um zu Abend zu essen, große Brote mit Schinken und Gurken, richtete sie das Gras auf, das er niedergetreten hatte.

Mein Vater sagte: Die sind alle meschugge da drüben, gewinnen im Lotto und dann so was. Leben wie die letzten Asozialen, genießen's kein Stück. Fumbel, sagte meine Mutter zu meinem Vater, wenn sie ihn beruhigen wollte. Fumbel, du hattest deine Stunde des Ruhms. Jetzt sind andere dran. Nicht jeder hat ein Geschick fürs Glück. Mein Vater und meine Schwester hatten vor fünf Jahren entdeckt, daß kleine Kinder an den Augen von Plüschrobben ersticken können, wenn sie sie essen. Der Spielzeugkonzern, der die Robben aus Übersee bezog, hatte viel Presse bekommen. Sie schrieben, ein zweijähriges Mädchen aus Duisburg wäre an den sich ablösenden Augen fast erstickt. Erst durch Einführen eines Löffelstiels hatte der Vater sein Kind zum Ausspucken bewegen können. Der Konzern verwies auf die mangelhafte Arbeit der thailändischen Hersteller. Mein Vater war in jedem Bericht erwähnt worden. Die Lokalzeitung hatte ihn und meine Schwester mit der Robbe photographiert. Mein Vater hielt die abgerissenen und wieder ausgespuckten Augen auf der geöffneten Handfläche in die Kamera. Meine Schwester hatte sich gerade die Haare geschnitten. Die blonden Stoppeln standen in Bündeln von ihrem Kopf ab, sie lachte fröhlich mit ihren paar Milchzähnen. Manchmal schauten wir uns die Fernsehreportagen bei den Großeltern an. Wir hatten keinen Videorecorder.

Der König war damals noch Straßenbahnführer. Wir waren zu klein, um über seinen Bauch nachzudenken. Kann schon sein, daß er damals dünner war. Seine Tochter, die Gärtnerin, war älter als wir, doch sie trug länger Windeln. Durch die Cordhosen sah man es. Ihre Mutter war fast nie da. Wenn wir sie zufällig sahen, grüßten wir sie nicht. Einmal, im Edeka, standen wir hinter ihr in der Schlange. Meine Mutter gab vor, eine Zigarettenmarke zu suchen. Sie fragte die Mutter der Gärtnerin, welche die leichtesten seien. Die Frau sagte, sie rauche immer Luckies. Meine Mutter kaufte die Luckies. Dabei rauchte sie gar nicht. Sie tat dann bei den Großeltern so, als hätte sie die Packung versehentlich liegengelassen, und Opa freute sich. Die Oma wollte nämlich nicht, daß er rauchte. Aber vergessene Zigaretten sind praktisch keine Zigaretten. Meine Mutter sagte zu meinem Vater: Die von drüben, vom Otto, die Mutter von der Kleinen, die hat was an sich, ich weiß nicht was. Vielleicht isses das Parfüm. Vielleicht sind's die fahrigen Augen. Ich weiß nicht. Der geht's nicht gut. Schnurzel, sag, was denkst du? Soll ich ihr mal was rüberbringen? Oder sie einladen? Sie geht nie raus. Du kennst sie doch gar nicht, sagte mein Vater. Eben, sagte meine Mutter. Genau, sagte mein Vater und bastelte weiter an der Pappkommode fürs Puppenhaus herum. Sie wollte einfach nicht stehenbleiben.

Ein paar Jahre später verschwand die Mutter der Gärtnerin. Zuerst merkten wir es nicht. Aber als Bo-Frost immer größere Ladungen beim König ablieferte, wurde meine Mutter mißtrauisch. Sie schenkte meiner Schwester und mir ein großes Springseil, eines, das man zu zweit schwingen mußte und einer hüpfte. Sie behauptete, an Stühle binden ginge nicht. Wir müßten schon eine Dritte im Bunde haben. Sie wußte, daß weit und breit keine anderen Mädchen wohnten. So fragten wir die Gärtnerin. Sie schaute uns aus ihren Telleraugen an. Meine Schwester sagte, hast du Lust? Die Gärtnerin blieb stumm. Ich gab ihr das Seil in die Hände. Sie stand direkt hinter dem Zaun. Ich drückte ihre Finger um das Seil. Ihre Hände waren rauh. Sie ließ sie willenlos von mir führen. Als ich ihre Finger losließ, fiel auch das Seil herunter. Meine Schwester zog es blitzschnell wieder über den Zaun. Laß die, wir nehmen 'nen Stuhl. Die is sogar zum Schwingen zu dumm. Sie wandte sich ab, das Seil locker über der Schulter. Da schnellte die Gärtnerin vor, warf sich gegen den Zaun und bekam das Ende des Seils zu fassen. Meine Schwester war so überrascht, daß sie es fast verloren hätte. Ich griff zu. Die Gärtnerin zog verbissen an ihrer Seite des Seils. Es scheuerte über den Plastikzaun, drückte ihn nieder. Meine Schwester half mir. Wir zogen keuchend an dem Seil. Meine Schwester rief: Mama! Aber die hörte uns nicht. Ich zischte, die schaffen wir auch so. Die Gärtnerin war älter als wir und stärker. Meine Schwester jammerte, das Seil schneidet mir in die Hände. Halt's Maul, die da drüben gibt gleich auf, knurrte ich. Aber die Gärtnerin zog weiter und schien nicht zu ermüden. Meine Schwester sagte, das ist ein blödes Spiel. Wir verlieren noch das neue Seil. Hör auf. Aber ich wollte nicht. Das Seil grub sich in meine Handflächen. Die Gärtnerin gewann an Boden. Sie zog uns Stück für Stück näher an den Zaun heran. Ich blickte mich zu meiner Schwester um. Sie hatte schon fast aufgegeben. Ich flüsterte ihr zu: Achtung, Überraschung siegt! Meine Schwester begriff. Auf drei ließen wir das Seil los. Die Gärtnerin fiel hintenüber. Instinktiv schützte sie ihren Po mit den Händen. Wir griffen zu und zogen das Seil ganz zu uns herüber. Da kam meine Mutter aus dem Haus, sie trug den Mülleimer. Er schien verdächtig leer. Was ist denn hier los? fragte sie. Hast du dir weh getan? Die Gärtnerin murmelte, ja. Tut weh. Die haben angefangen. Meine Mutter musterte uns tadelnd. Ist deine Mutter nicht da? fragte sie dann. Du brauchst bestimmt ein Pflaster, oder? Sie zog eins aus der Hosentasche. Meine Schwester und ich kochten vor Wut. Die Gärtnerin schielte uns böse an, während sie meiner Mutter brav die aufgeschürften Hände hinreckte. Wo ist denn deine Mutter? drängte meine Mutter die Gärtnerin. Ich hab sie schon lange nicht mehr gesehen. Aber die Gärtnerin schwieg. Sie strich zart über das Pflaster und ging wieder zu ihren Rosen. Meine Mutter seufzte und leerte endlich den Mülleimer. Meine Schwester und ich banden das Seil an eine Wäschestange. Es rutschte runter. Wir versuchten es mit einem Stuhl. Der kippte um. Meine Mutter hatte recht gehabt. Beim Abendessen sprachen wir kein Wort mit ihr.

Nach einem Jahr war meine Mutter sich sicher. Die Frau des Königs war weg. Denn es kam eine neue. Mein Vater sprach beim Straßekehren mit ihr. Meine

Mutter klebte derweil hinter der Gardine. Aber vom Keller aus sah sie nur die Beine der beiden. Die neue Frau trug Kittelhemden, die bis zu den Knöcheln reichten, darunter Hosen und auf dem Kopf kleine Käppis. Es sah orientalisch aus, fand meine Mutter. Ob der Otto jetzt in 'ner Sekte sei? fragte sie. Davon wisse er nichts, sagte mein Vater. Die Frau, die sei ganz normal. Sie habe eben einen eigenen Geschmack. Pah, sagte meine Mutter. Du kennst doch bis heute den Unterschied zwischen Geschmack und Geld nicht. Eben, sagte mein Vater. Genau, sagte meine Mutter. Anderen Frauen schöne Augen machen, aber ich koch die Supp' oder was? Du kannst den Tisch heute selbst decken. Ich geh ins Kino. Mein Vater machte Spiegeleier, und wir guckten beim Essen Fernsehen.

Dann kam der Lottogewinn. Oder die Erbschaft. Oder wir wissen es nicht so genau. Jedenfalls wurde der König reich. Er kaufte sich das Schwimmbad, er kündigte seinen Job, er fuhr in Urlaub und ließ das Haus streichen. Die Handwerker waren faul, denn sie wußten, der König bezahlte alle Stunden. Sogar die Gärt-

nerin war mit in Urlaub. Sie kam zurück mit einem
Sombrero. Der König drückte ihn ihr fröhlich auf den
Kopf. Steht dir gut, kleine Schattenmaus, sagte der König. Die Gärtnerin schaute ihn verächtlich an. Aber sie
ließ ihn Samen kaufen. Teuren Samen für Blumen
aus Übersee. Und sie pflanzte Wunderbäume, große
grüne Gewächse. Der Garten war ein überbordender,
üppiger Garten damals. Dann fing der König an zu
saufen. Die neue Frau trug jeden Tag eine andere Sonnenbrille. Meine Mutter sagte, eine Schande ist das,
die Familie geht vor die Hunde. Laß sie doch, sagte
mein Vater. Typisch, sagte meine Mutter.

Im Winter war's vorbei, auch mit dem Garten. Der
Wagen vom Getränkemarkt kam täglich, und die Gärtnerin stand stundenlang draußen. Da ging auch die
neue Frau. Sie packte ihre Kittelkleider und Käppis ein
und ging ohne Sonnenbrille. Ihre Augen waren geschwollen. Den König sah man nicht mehr. Eines
Tages holte ihn ein Taxi ab, die Gärtnerin ein zweites.
Nach drei Monaten kamen sie zurück. Um vom Suff
wegzukommen, fing der König wieder an zu arbeiten.

So erzählte es meine Mutter immer ihren Freundinnen. Zehn phantastisch fette Jahre hatte der König gehabt. Aber das war vor unserer Zeit gewesen. Jetzt weichte er sich im Schwimmbad ein. Seine Tochter verwandelte sich in eine Liane und schwang von rechts nach links. Was ist passiert? fragten wir unsere Mutter. Ich weiß es nicht, sagte sie. Wir fragten weiter. Warum schweigt die Gärtnerin? Mußte sie nie zur Schule? Nein, nie, sagte unsere Mutter. Aber das geht doch nicht, sagten wir. Sie ist immer allein, vielleicht schlägt er sie. Wir haben sie flüstern gehört, den Blumen hat sie's erzählt. Die Lippe ist ihr aufgesprungen. Meine Mutter schüttelte den Kopf. Habt ihr wieder spät ferngesehen? Wir waren enttäuscht.

Meine Schwester und ich schauten aus dem Fenster des Kinderzimmers zu der Gärtnerin hinüber. Wir sahen ihre Gummistiefel im Garten herumwandern. Sie streute Pulver aus, es fiel wie hellblauer Staub auf den Boden. Es war Mai. Wir hatten sie flüstern gehört, das war keine Einbildung gewesen, bestimmt murmelte sie auch jetzt. Wir öffneten das Fenster. Psst, sagte meine Schwester, als mein Magen rumorte. Der Wind schien uns die Worte herüberzutragen. Ich legte meiner Schwester den Arm um die Schultern. Uns war kalt. Das Wasser stand schon im Pool, aber der König zögerte noch. Eines Tages kam er heim und wollte der Gärtnerin über die Haare streichen. Wie immer tauchte sie weg, seine Hand hatte schon damit gerechnet. Er tat, als habe er sich am Schenkel kratzen wollen. Wir standen am Zaun und warfen Papierflieger in den Garten. Hey, ihr Rotznasen, laßt das, sagte der König. Er hob einen der Flieger auf und warf ihn zurück. Meine Schwester hatte ihren gefährlichen Rosettenmund. Ich stieß sie an. Sie knuffte zurück. Angsthase, wisperte meine Schwester. Schrei bloß nicht rum, warnte ich sie. Der König musterte uns mit einem belustigten Lächeln um die Mundwinkel. Na, war das Sandmännchen schon da? fragte er. Heiaheia. Wir machen keine Heia, gehen Sie doch selber schlafen, versetzte meine Schwester. Ich starrte stumm den König an. Über seinem Gürtel hing das Schnürbändel seiner Badehose heraus. Sein Gesicht glänzte. Die Gärtnerin stand schräg hinter ihm. Ich sagte, wir wissen Bescheid.

Wenn Sie nicht aufpassen, sind Sie dran. Der König lachte. Das Lachen klang wie aus einer großen Regentonne. Kommt mal mit, ihr Kleinen, sagte er. Kommt mal mit, ich zeig euch was. Meine Schwester flüsterte, wir sollen nicht mit Fremden gehen. Das ist unser Nachbar, sagte ich. Der König hatte sich bereits umgedreht. Ich mach euch das Tor auf. Wir mußten durch unser Haus auf die Straße gehen, um zum Haus des Königs zu kommen. Es hatte ein großes Eisentor, das automatisch aufschwang, wenn er es anpiepte. Meine Schwester wollte nicht reingehen. Ich zog sie mit, allein wollte ich da auch nicht rein. Der König öffnete uns die Haustür. Wir sahen die Gärtnerin durch den Flur und eine Treppe hinauf huschen. Es roch komisch. Hier entlang, sagte der König und stieg eine Treppe in den Keller hinab. Nein, sagte meine Schwester. Nein. Ich geh da nicht runter. Alle kleinen Mädchen werden im Keller umgebracht. Der König war bereits im Keller verschwunden gewesen, steckte jetzt aber seinen Kopf wieder um die Ecke. Er rief nach der Gärtnerin. Sie kam mißmutig die Treppe herunter. Als sie an mir vorbeiging, trat sie mir kräftig auf den Fuß.

Ich biß die Zähne zusammen. Zögernd folgten wir ihr in den Keller. Die Wände waren holzgetäfelt, und Bergbilder hingen daran. Der Keller war groß, wir mußten durch eine schwere Stahltür, eine Eisenstange sicherte sie. Der König schnaufte vor Aufregung. Die Gärtnerin ging hinter meiner Schwester und mir. Die Stahltür verschloß einen dunklen Raum, es stank entsetzlich. Die Gärtnerin knipste die Neonröhren an. Es war ein großer kahler Raum, mit einem niedrigen gemauerten Becken in der Mitte. Wasser schwappte innen, am Rande stand ein kleines Haus. Kommt her, sagte der König, die kann nicht raus. Wir drängten uns nah aneinander. Die Gärtnerin grinste böse. Wir kamen näher. Das Tier war einen halben Meter groß, fett und hatte einen langen dünnen Schwanz. Das braune Fell glänzte vor Nässe. Das ist eine Nutria, sagte der König, hübsch, nicht? Sie werden auch Sumpfbiber genannt oder Biberratten, sogenannte Trugratten. Hab ich aus Südamerika mitgebracht. Feinschmecker lieben ihr Fleisch, es ist so fettarm. Mit ihrem Schnurrbart erinnerte mich die Ratte an einen verzauberten Terrier. Ein bißchen nachdenklich, besorgt. Ihre Nagezähne hingen über den Unterkiefer. Sie saß da und blickte uns an. Meine Schwester fragte, was frißt die denn? Der König lehnte an der Betonmauer, die ihm knapp bis zum Oberschenkel reichte. Zweimal täglich bekommt sie Kartoffeln, Kleie und meine spezielle Kraftnahrung, sagte er stolz. Sie geht ein hier unten, sagte die Gärtnerin. Du wolltest ja keinen Beton in deinem heiligen Garten, sagte der König, was sollte ich denn machen? Die Gärtnerin zuckte mit den Achseln: Deine Sache. Meine Sache, die Blumen. Ich sagte, wir müssen gehen. Unsere Mutter wollte uns die Haare waschen. Wollt ihr nicht mal mit meiner Tochter spielen? fragte der König. Ihr könnt jederzeit hier rein. Klettert einfach über den Zaun. Ihr seid herzlich willkommen. Wollt ihr schwimmen gehen? Ihr könnt auch schwimmen, wenn ich nicht da bin. Wir hörten ihn hinter uns her rufen, aber wir waren schon durch die schwere Stahltür gewetzt, die Treppe rauf und zum Haus hinaus. Meine Mutter sagte, ihr seid doch sonst nicht so wild auf Waschen.

Von da an hielten wir uns die Ohren zu, wenn die Gärtnerin wieder zu wispern anfing. Wir gingen oft auf den Spielplatz, mieden den Hof. Aber meine Schwester wollte unbedingt schwimmen gehen. Vor allem wenn es heiß war, hockte sie nur auf dem Hof, um auf das Schwimmbecken zu starren. Die Gärtnerin lauerte unter dem Kirschbaum in ihrem Garten, sie saß an den Stamm gelehnt und beobachtete meine Schwester. Der stand der Schweiß auf der Stirn. Ich brachte ihr eine Fanta, sie nahm sie geistesabwesend und trank die Flasche in einem Zug aus. Du kannst da nicht rüber, sagte ich, denk nicht mehr dran. Wir gehen ins Freibad. Aber bis zum Freibad fuhr man eine halbe Stunde Bus. Außerdem gab es dort Jungs, die einen tunkten und an den Trägern des Badeanzugs zogen. Wir mochten das Freibad nicht. Er hat's uns angeboten, sagte meine Schwester trotzig. Warum soll ich nicht gehen? Weil wir mit denen nichts zu tun haben wollen, sagte ich. Das weißt du genau. Die Gärtnerin und meine Schwester maßen sich mit Blicken, ich fühlte, daß sie mir nicht zuhörte. Hallo, sagte ich, was wünschst du dir zum Geburtstag? Willst du meine wunderschöne Daunenjacke? Meine Schwester schüttelte verächtlich ihren Kopf. Ich hab im Sommer Geburtstag. Deine Jacke kannst du dir an den Hut stecken. Ich war ihr nicht böse, nur besorgt. Jeden Tag wurde sie mißmutiger. Sie legte sich mit ihrem Badeanzug in die Wanne und paddelte mit den Armen. Das Wasser spritzte auf den Boden, und meine Mutter rief: Macht nicht so eine Sauerei! Meine Schwester wurde wütend, sie verspritzte das ganze Wasser im Badezimmer. Meine Mutter kam und zog den Stöpsel, sie verbot ihr das Badezimmer für drei Tage. Meine Schwester mußte sich ihre Zähne unter Aufsicht in der Küche putzen. Es war sehr einsam im Bad ohne sie. Ich wurde doppelt so schnell fertig.

Wir hatten niemandem von der Biberratte erzählt. Abends vorm Einschlafen sah ich sie manchmal unter meinem Bett, ihre Augen funkelten mich an, und ich spürte, daß sie ihre scharfen Vorderzähne in meinen Arm hacken wollte. Mich schauderte. Ich verstand nicht, warum der König sich so ein Tier hielt. Ich hätte gern eine Katze gehabt, aber der Vermieter erlaubte das nicht. Meine Schwester wälzte sich unruhig in ihrem Bett. Ich flüsterte, soll ich dir eine Geschichte erzählen? Sie sagte, danke sehr, verzichte. Ich schwieg beleidigt und fiel bald in einen tiefen traumlosen Schlaf. Als ich aufwachte, sah ich, daß meine Schwester verschwunden war. Ich wartete, aber sie kam nicht vom Klo zurück. Es hatte gerade angefangen, hell zu werden. Ich zog mir die Pantoffeln an und suchte nach meiner Schwester. Ihr Schlafanzug lag auf dem Bett. Da begriff ich. Unser Hof und der Garten des Königs schliefen im frühen leichten Licht. Es war noch niemand wach, nur ein Vogel sang, pipilitt, pipilitt, meine Kinder sind die schönsten, im Nest reckten sie schon die roten Schnäbel zum Himmel. Ich ging ganz nah an den Zaun heran. Das Schwimmbecken war kaum zu erkennen, so dunkel war es noch. Aber ich hörte das Plätschern. Der Rand war hoch, ich konnte nichts sehen. Ich rief mit gedämpfter Stimme: Komm raus! Bitte, sag was. Ich drückte den Zaun herunter und lief zum Becken. Die Nutria schwamm ruhig ihre Runden. Dann tauchte sie, der lange Schwanz verschwand zuletzt. Weit und breit war niemand zu sehen.

Nachsaison

Die Nachsaison kam, ohne daß wir es merkten. Die Wolken ziehen schnell am Meer, die Sonne scheint. Die Sandburgen sind zerfallen, die Strandkörbe zugeklappt, bereit zum Abholen. Es war Juli, als wir an die grüne Pfütze zwischen Deutschland und Schweden fuhren. Der Fiat von Klaus fand einen Parkplatz vor der Pension. Dort steht er immer noch. Wir klopfen ihm jeden Morgen, wenn wir aus der Tür treten, auf die Motorhaube. Es klingt hohl. Marie und ich, wir sind allein. Laura mußte wieder zur Schule. Klaus kümmert sich um sie, solange Marie weg ist. Marie ist nicht sicher, ob sie sie vermißt. Du mußt an dich denken, Marie, sage ich. Denk an dich. Innerlich sage ich: uns.

Wir gehen über die Promenade. Immer gehen wir erst über die Promenade. Marie, mit ihren Kinderaugen, mit den Latzhosen und den Murmelzehen. Ich sage Murmeln zu ihren Zehen, weil sie auf ihnen rollt. Es sieht eigenartig aus, wenn sie geht. Sie hat sich Federn ins Haar gesteckt. Schaut aus wie ein wilder Vogel. Gleich wird sie abheben, da bin ich mir sicher. Ich

greife nach ihrer Hand, die ich mit meinen Wühltischfingern leicht umfasse. Mit dem Daumen drücke ich gegen den Schlangenring. Er paßt ihr nur am Zeigefinger. Landa, landa, singt sie ihren Schritten voraus. Langsam, langsam. Sie spricht von den Fruchtstückchen, die ihre Zunge erschrecken, wenn sie über die Eiskugel gleitet. Sie erzählt, wie ihre Zähne schreien, wenn sie ins Eis beißt. Sie schwindelt, daß sie Luigis Eis immer erkennen würde. Sie macht seine Stimme nach. Sie kichert, lacht und prustet. Ihr Mund wird breiter. Ihre Augen schielen. Der Wind hat die Promenade für uns leergefegt. Sie steckt einen Finger in den Mund und hält ihn in den Wind.

Sie haucht auf meine Fingerspitzen und hüpft die Promenadenplatten entlang. Ich ärgere sie mit Blicken. Bald findet sie ein besseres Spiel. Sie springt von der Promenade auf die Mauer. Ich kitzele ihre Knöchel, damit sie runterkommt. Sie will nicht. Ich hebe meine Beine neben sie auf die Mauer. Aber da liegt sie schon rückwärts im Sand. Die Körner knirschen zwischen unseren Zähnen. Sie knirscht mit den Augen. Sie spielt zu gerne, um lange nachzudenken. Wir rollen über den Sand und hangeln uns in einen Strandkorb. Die Körbe starren auf das Meer. Wir machen es ihnen nach. Sie schmiegt sich an mich. Die Augen hat sie halb geschlossen, der Wind reizt sie. Vielleicht ist sie nur müde. Ich frage nicht. Wir sitzen lange so da. Sie döst und ich wache. Ich bin ihr Leuchtfeuer. Ich warne alle, die ihr nahetreten wollen. Ich habe einen Blick, der ihnen scharf in die Augen schneidet. Gestern vermißte der Bankkassierer den Ehering an ihrem Finger. Leichtfertig versprach er ihr einen. Mein Blick schnitt ihn. Sie sagte, daß sie keine Diamanten mag. Er zuckte mit den Achseln und gab ihr das Geld. Ich kaufte ihr den Schlangenring. Ich starre auf das Wasser. Die

Ostsee ist ein grünes Meer mit Sahnestreifen. Wir haben wieder angefangen, Sahne zu essen. Ich mag ihre Eieruhrfigur. An ihrer Nasenspitze hängt ein Tropfen. Ich tupfe ihn vorsichtig ab. Sie hebt die Lider. Ihr ist kalt. Wir stapfen durch den Sand zurück.

Der Wind ist unser ständiger Begleiter. Bis zur Cafétür folgt er uns. Wir verstecken uns hinter den blaukarierten Gardinen und schlürfen einen Grog. Vor uns war hier Tanztee. Sie haben ihre Anleitungen zurückgelassen. »Der Kopf sitzt immer gerade zwischen den Schultern. Der Blick des Herrn fällt durch das Fenster der Dame«, lese ich vor. »Der Blick soll nicht auf den Boden gleiten, sondern stolz und überlegen wirken. Der Hals soll lang wirken.« Marie reckt ihren Hals wie Vogel Strauß und rollt die Augen. Ich strecke die Hand nach dem Zuckerstreuer aus. Ich drehe ihn unschlüssig hin und her, ich höre den Zucker. Sie hört mein Schweigen. Ich genieße es. Ich will auch nicht mehr alles verstehen, was ich sage und schon gar nicht, was sie sagt. Es ist angenehm, wenn das Reden unwichtig wird. Wir können den Mund öffnen und wieder

schließen. Ich sehe das Grau in ihrem dunklen Haar.
Sie sieht mich an und wartet. Der Zucker rieselt aus
dem Streuer. Auf der Tischdecke wächst ein süßer
Berg. Sie haben rote Gummitischdecken hier, an denen der Dreck der letzten Jahre klebt. Sie nimmt den
Salzstreuer und schüttet Salz auf meinen Zuckerberg.
Ihre Finger sind vorwitziger als meine. Ich lecke ge-
horsam an ihrem salzigen Finger. Sie grinst. Der Wind
reibt an den Mauern. Es ist warm hier. So könnte ich
ewig sitzen, mit ihr in der Ecke und einem Zuckerberg
vor Augen. Der Kellner tritt an den Tisch. Er schnauzt
uns an, weil wir die Tischdecke besudeln. Ich verstehe
ihn nicht. Nur die Zahlen auf der Rechnung kann ich
lesen. Sie zahlt wie immer, sie hat Geld. Goldmarie.
Meine Augen schneiden den Weg frei, ihre sind zum
Streicheln da.

Sie ist kalt, die Nachsaison. Wir reiben uns Wärme in
die Körper. Sie hat die blauen Strümpfe ausgezogen.
Ungeduldig zu Boden gezerrt, zum Schluß mit den
Beinen gestrampelt, um sie loszuwerden. Das Pen-
sionszimmer hat den stumpfen Geruch von Betten

ohne Falten verloren, mit jedem Sprung auf den Matratzenfedern schleudert sie ihren Duft ins Zimmer. Die alten Damen nebenan schlafen schon. Sie steigt vom Bett, wirft ihre Arme um meinen Hals und führt mich auf die Promenade. Sie hat einen blauen Anorak mit Kapuze. Die Kapuze weht ihr in die Stirn, sie sieht nichts. Wir ziehen lange durch die Nacht. Ich erzähle ihr von den Nachtwanderungen mit meinem Vater. Damals an der Steilküste. Wir haben ein Feuer gemacht und geredet. Ich habe nicht geredet. Zumindest ist meine Erinnerung stumm. Jetzt ist sie still, während ich rede. Sie sucht den Strandkorb von heute nachmittag, zieht mich in die dunkle Höhle. Ihr Knie drückt sich zwischen meine Beine. Ich spüre ihren Atem. Sie nimmt meine Hand und legt sie zwischen ihre Brüste. Ihre Brustwarzen stoppen meine Hand, die über sie hinwegfliegen will. Sie wendet den Kopf ab, als wäre es zuviel. Sie vertraut mir ihren Körper an, verschlingt meinen Mund und gibt ihn wieder frei. Unsere Zungen sind Brausepulver auf der Haut. Irgendwann reißt meine Kette. Die Glasperlen verlieren sich im Sand.

Ich habe immer im Schatten geliebt. Sie in Lichtjahren. Wo ich Dunkel suchte, wollte sie Klarheit. Grashalme im Sommer, den wir hinter uns ließen, als sei er eine Krankheit, die uns nicht gehorte. Meine Erinnerung ist Stückwerk. Sie zerläuft wie zu weiches Spritzgebäck aus der Teigpresse. Ich esse Popcorn, abwechselnd mit Zucker und Salz, während ich an Marie denke. Die Krümel fallen mir aus dem Mund auf den frisch gesaugten Boden. Mich stört es nicht. Sie jetzt auch nicht mehr. Sie ist weg. Hat das Auto genommen und mich am Frühstückstisch sitzen gelassen. Sie muß zu Laura, hat sie gesagt. Und zu Klaus, habe ich gedacht. Es tut ihr leid, hat sie gesagt, als wäre ich ihr Unfallzeuge. Eis lecken ist doch kein Dauerzustand. Ich esse Popcorn und warte. Ich gehe allein ins Kino und warte. Ich packe meinen Koffer und warte. Ich bezahle meine Rechnung und wünsche mir, daß die Wirtin fragt, warum ich jetzt schon fahre. Aber die Wirtin fragt nicht. Auf dem Weg zum Bahnhof esse ich an der Imbißbude, die die fettigsten Pommes frites hat. Sie schmecken nicht mal salzig. Einmal hat Marie danach Magenkrämpfe bekommen. Altes, ranziges

Fett schwimmt im Pott hinter der Theke. Ich gehe und schmeiße im Laufen die Plastikgabel hinter mich. Soll sie ihr die Augen ausstechen. Was kümmert's mich.

Ich rufe sie an. Sie meldet sich mit ihrem Nachnamen. Das tut weh. Sonst hat sie laut Bismarckhering in den Hörer gebrüllt, um dann leise zu lachen und zu fragen: Hallo? Bist du's? Ich lege auf. Ich habe nicht geschrieben. Ich habe gewartet und gelernt. In meiner Koje stapeln sich die Papiere. Ich stehe nicht mehr auf. Zur Küche führt eine Krümelspur. Prinzenrollen. Ersatzfutter. Meine Tage sind ausgeblieben. Ich bin wohl schwanger von ihr. Wundern würd's mich nicht. Frage mich nur, was dabei herauskommen soll. Ich putze meine Zähne nicht mehr. Am Samstag bin ich ins Bett gegangen und am Donnerstag aufgestanden. In der Küche klingelt die Eieruhr. Ich habe gekocht. Zumindest so getan. Spinat aufgetaut und mir beim Aus-der-Packung-Pulen fast die Hände abgefroren. Die Zunge beim Teetrinken verbrannt. Ich werde aufräumen, waschen und putzen. Fernsehen vielleicht. Viola anrufen.

Maries Tassen aus dem Regal schmeißen. Den Zahnarzt wechseln.

Ich gehe mit Viola weg. Es war dumm, sie anzurufen. Sie hat immer noch denselben badischen Dialekt, mag die Filme nicht, in die ich will, erzählt mir statt dessen von ihrer Parteikarriere und den Sorgen mit der Müllabfuhr. Wenigstens hat sie nicht nachgebohrt. Auf eine zwiespältige Art tut es gut, sie neben mir zu wissen, zu wissen, daß sie mich nach Hause fährt und mich an die Hand nimmt. Ich trinke Wasser, sie Bier. Wir klappern mehrere Kneipen ab, sie fährt mich heim und schaut meine Koje an. Machen wir es nun jedes Jahr einmal? fragt sie mich im Laufe der Nacht. Das ist der erste Satz von ihr, über den ich ernsthaft nachdenken muß.

Ich besuche meine Mutter. Sie fragt nicht, wie es mir geht. Aber einen Zwetschgenkuchen hat sie gebacken, obwohl die Saison vorbei ist. Ich esse keine Sahne dazu. Der Verkäufer im Jeansladen starrt mir in den Ausschnitt. Ich probiere, es zu genießen, wie Marie es getan hätte. Es gelingt mir nicht. Ich gehe in die Praxis. Sie kennen mich da. Es ist immer noch alles weiß. Ich habe Zeit, das Weiß auf seine Qualität hin zu überprüfen. An den Wänden schafft die Rauhfaser es, geringfügige Grauschatten einzubringen. Auf den Ledersesseln ist es Vanille. Gesichter aus Käse oder Papier. Auf dem Boden Marmorzeichnungen. Ich warte vor dem Röntgenraum. Die Kinderzeichnungen an der Wand sind älter geworden. Laura weiß jetzt, daß Menschen Finger haben. Ob ihr Klaus das beigebracht hat? Ich weiß nichts von ihm, ich will nichts wissen. Ich höre Marie bohren, im Behandlungszimmer. Irgendwann kommt sie heraus. Der weiße Kittel hat einen Fleck, da, wo sie sich immer unter der Rippe kratzt. Sie schaut mir in die Augen und lächelt. Wie geht's? Wie bist du nach Hause gekommen? Ich sage, ich bin geschwommen. Schweigen. Laß uns noch mal reden. Aber nicht hier.

Sie kommt vom Ausgang her. Mit hohem Schritt, die Arme um den Spindelkörper schlagend. Ich bleibe sitzen, während sie sich nähert. Der Geruch von trunkenem Herbst klebt noch an ihren Sohlen. Sie bemüht sich nicht, ihn abzustreifen. Das Laub haftet am Beton. Sie geht schnell, der Rock tollt ihr um die Beine. Ihre Knie stoßen den Saum vorwärts. Über den steilen Schuhen pendeln ihre Hüften. Sie kreiselt durch die Menge. Ich verfange mich in ihren wehenden Haaren. Wer sie übersieht, ist blind. Ich mag ihre kleine, vorspringende Nasenspitze. Sie antwortet nur auf ihre eigenen Fragen. Im Moment hat sie keine. Ich ahne das bittere Lächeln auf meinem Gesicht. Schnell wende ich mich dem Gemüsestand zu, zähle Äpfel. Sie tritt heran. Wir reden. Ich bin kläglich. Es hat keinen Sinn. Es beschränkt sich darauf, sagt sie. Hat sie den Strandkorb, den Schlangenring, Matratzenfedern, Zucker und Salz vergessen? Und da war noch was, glaube ich. Da war noch was. Ich möchte es dabei belassen, sagt sie. Ich weiß es nicht mehr. Sie muß gehen, ich rennen.

Die Tage sind heller geworden. Es schneit. Das hat es schon seit Jahren nicht mehr. Es bleibt weiß. Ich sage Viola ab und gehe allein spazieren. Der Park ist fast leer, die Kinder mit den Schlitten sind in der Schule. Es gibt nur mich, Wald und Schnee. Die Luft gleitet kühl durch meine Lungen. Meine Nasenspitze friert zwischen Lapplandmütze und Fransenschal. Schlimm sind nur meine Hände. Sie werden starr und wachsweiß. Um mich aufzuwärmen, beschließe ich, eine Schloßbesichtigung mitzumachen. Eine Studentin der Kunstgeschichte führt mich, ein grantiges Paar mit Kind und ein Mädchen mit ausgeprägten Wangenknochen. Das Mädchen sieht aus wie ein Eichhörnchen, wenn es den Erklärungen mit schiefgelegtem Kopf lauscht. Das Kind rennt immer wieder vor, und die Führerin ermahnt es. Ich schaue mir hellblaue Vasen, große Betten, Gemälde mit gehetzten Hirschen und ausgeprägte Wangenknochen an. Das Mädchen zückt einen Kunstführer und korrigiert eine Jahreszahl, die die Führerin einfließen ließ. Ich wende mich den Vasen zu. Meine Hände sind noch wachsweiß. Von der Führung habe ich genug. Ich verschwinde in einem Nebenzimmer.

Ich erkläre mich selbst für geheilt. Doch Marie läßt mir keine Ruhe. Hast du Lust, ins Kino zu gehen? fragt sie mit belangloser Stimme am Telefon. Ja, Lust habe ich. Mit Händen, die nicht wissen, wohin sie sollen, sitzen wir im Dunkel des Kinos. Sie hat eine abgetragene Bluse an, die ihr nicht steht. Die Hornplatten im Haar erinnern mich an Schildkröten, die am Strand ihre Eier eingraben. Sie werden uralt, wenn sie kein Jäger erwischt. Einen komischen Film hat sie da ausgesucht. Ich lege meinen Arm neben ihren. Unterarm an 75 Unterarm. Die Schauspieler vor uns lieben, hassen, schlagen und verfolgen sich. Ihr Arm spreizt sanft die Haare an meinem. Ich ersticke fast. Sie neigt die Locken und flüstert in mein Ohr: Kannst du Marmor lesen? Wir stolpern aus den Sesselreihen.

Das Licht bleibt aus. Wir setzen uns auf den Marmorboden in der Praxis. Die Straßenlaternen winken durch die Fenster. Es stürmt. Es gibt nur sie und mich, die unter Zahnarztstühlen sitzen. Der fahle Schein auf ihrem Gesicht malt ihr Heiligenzüge. Sie hat die Augen geschlossen. Das Licht der wankenden Laternen blitzt im Metall der Instrumente. Ich höre das Sausen des Windes. Ich lausche dem Lied. Sie schlägt die Augen auf, wühlt die Hände in ihr Haar. Sie will etwas sagen, denke ich. Daß sie Zeit brauchen wird. Meine Augen tasten nach ihren. Ich lege die Hand auf ihre Stirn. Sie schließt die Augen und atmet in den Bauch. Meine Hände wandern über ihr Gesicht. Sie finden alles, knicken ihre Wimpern, so daß die Tusche verwischt, fahren über den Bogen ihrer Augenbrauen. Sie rührt sich nicht. Ich habe Angst, daß meine Lippen zu spröde sind. Sie öffnet den Mund nicht. Der Wind stürmt. Sie riecht wie ein Kuchenteig, nach Vanille und reiner Butter. Der Marmor wird feucht unter unserer Haut. Die Fenster beschlagen.

Lou

Wenn der Abend durch den Himmel fällt, denkt Lou, sie habe sich mit Blausäure tätowiert. Sie sitzt am Fenster und fährt über ihre blau gesprenkelten Arme, als ob sie eine Violinsaite striche. Lou ist die Schönste von uns. Wir lassen ihr das Bett am Fenster und die silbernen Schläppchen, die sie nie tragen darf.

Wenn der Pfleger die Tür hinter sich zugezogen hat, holt Lou die Schuhe unter dem Bett hervor. Hat sie das verschnürte Paar mit ihrem Stock ertastet, spielt ein kleines Grinsen auf ihrer Oberlippe, das zu einem Lächeln wird, wenn das Silber im Dunkel leuchtet. Alle wissen Bescheid. Die Pfleger und Schwestern haben die Schläppchen längst entdeckt, aber sie lassen sie ihr. Das kleine Geheimnis schadet nicht. Lou liebt Schuhe.

Sie läßt sie auf ihrer Bettdecke tanzen. Sie tanzen für uns. Lou steppt mit den Schläppchen an den Händen über die Decke, sie springt und grätscht, sie reiht unendliche Schrittfolgen, sie tanzt zu einer Musik, die in ihren Augenbrauen fließt und aus ihren Schläfen strömt wie ein warmer Windstoß. Wenn Lou tanzt, redet keiner von uns. Manchmal entfährt ihr ein Stöhnen, weil sie zu atmen vergißt.

Ich möchte Lous Gesicht malen, aber sie haben mir vor langer Zeit die linke Hand auf den Rücken gebunden, damit ich sie nicht benutze. Dort, hinter meinem Rücken, habe ich das Malen verloren. Doch wenn ich müde bin, kurz bevor mich der Schlaf ans andere Ufer der Nacht trägt, zieht ein unsichtbarer Marionettenfaden meinen linken Arm hoch. Er schwebt zum Himmel, als wolle er sagen, da gehöre ich hin, da komme ich her. Wenn Lous Hände mit den Schläppchen über die Bettdecke fliegen, werden ihre Augen so rund und voll wie die eines Hasen, der zu lange unter Menschen gelebt hat, um noch zu wissen, daß er wegrennen sollte. Wenn Lou diesen Blick hat, der ihr Gesicht so schön macht, so gefährlich nackt, dann lieben wir sie. Wir alle wollen dann unter ihre Decke kriechen, wir wollen die Perlmuttknöpfe ihres Nachthemdes lösen, wollen ihren Körper sehen, wollen uns erinnern an all die Körper, die wir unter den Nägeln hatten. Wir wollen es und können doch nicht durch den Schleier sehen, den Lou um sich gebreitet hat. Sie malt Kreise auf die Decke, und hinter ihr treibt der Wind die Wolken auf einem fahlblauen Tuch voran. Der Fensterrahmen entreißt sie unseren Blicken.

Es sind viele von uns hier, es ist einfacher so. In einem großen Saal stehen unsere Betten nebeneinander. Wir können nicht einmal mehr weinen, weil unseren Körpern das Wasser dort fehlt, wo wir es brauchen. Dafür staut es sich in unseren Beinen oder Lungen, und dann und wann verendet einer röchelnd. Sofort kommt ein neuer nach. Die meisten können nicht mehr reden, sie ächzen, faseln vor sich hin, und wenn sie ganz verstummen, brummen an ihren Betten nur die Maschinen weiter, die ihre Körper halten. Aber ich bin ganz wach. Was, wenn der Strom ausfiele? Dann gehörten wir zusammen. Die Zeitungen würden aus uns eine Bande machen, eine Familie. Nur Lou würde weiter tanzen. Lou ist umnachtet. Wenn die Blausäure der Nacht ihre Arme tätowiert, wird es mir klar. Aber ich weiß, daß Blausäure farblos ist.

Lou liegt den ganzen Tag teilnahmslos im Bett und bekommt genauso selten Besuch wie wir. Keiner von uns hätte so lange überlebt, wenn sie nicht wäre. Auch ich nicht. Die Pfleger haben meine rechte Hand an das Bett gebunden und die Infusionsnadel hineingestochen, weil die Venen dort kräftiger sind. Ich kann selbst meinen Namen nicht mehr schreiben. Die Pfleger sagen ihn jeden Morgen auf, ich habe ihn längst abgelegt, alles, was mit meinem Namen verbunden war, ist vorbei. Manchmal kann ich nicht unterscheiden, ob es Tag oder Nacht ist, wenn die Schwester wieder zur falschen Zeit das Licht anknipst und uns aus dem Dämmerschlaf reißt.

Lou stört selten. Vielleicht haben sie sie deshalb hierher gelegt. Weil sie so unauffällig ist. Wir haben sofort gemerkt, daß in Lou mehr als ein letzter Funken steckt. Als das Mondlicht auf ihre dicken weißen Haarsträhnen fiel und sie die erste Nacht in unserem Rudel schlafen mußte, umgeben von achtzehn weiß bezogenen Särgen mit Bügelfalten in den Laken, da schrie uns die Angst aus ihren Pupillen heraus an. Unsere Blicke brachen sich im Spiegel ihrer Augen. Wir schreckten zurück wie Kinder. Ihre Augen warfen uns das Leben zurück, so, wie es nicht hätte sein sollen. Hier ist die Zeit eine Streckbank, wir haben die letzte Station erreicht, und trotzdem ist kein Ende abzusehen. Lou lag an diesem ersten Abend auf dem Bett in unserer Mitte, das Kopfteil hatte sie weit hochgefahren, so daß sie fast saß. Sie hatte ihre Pantoffeln noch an den Füßen. Wir sahen es, und wer es nicht sehen konnte, spürte die Angst, die sie ausdünstete. Sie merkte nichts von unserer Unruhe. Nach Stunden hatte die Müdigkeit sie übermannt. Wir lauschten ihrem pfeifenden Atem mit der Andacht einer Festgemeinde. In uns waren Furcht und Erregung zugleich. In dieser Nacht entschieden wir über den Rest unseres Lebens, das so plötzlich zu uns zurückgekommen war.

Ich schloß meine Augen, aber ich schlief nicht. Ich sprach mit Walter, der neben mir aufgebahrt ist. Sein Kopf wirkt in der Dunkelheit wie eine bandagierte Karnevalsmaske. Er hat keine Wunden und keine Verbände, doch sein Gesicht mit den angrenzenden Haarfeldern ist wie aus Hautballen zusammengekleistert. Er zwinkert dauernd. Am Tag kann ich ihn nie anschauen, aber seine Stimme brauche ich dringender als Klopapier. Da ich nicht mehr aufstehen kann und die Bettpfanne das einzige ist, was sie mir zum Brüten unter den Körper schieben können, ist Walters Stimme für mich der Gang zum Park, der Ersatz für meine zwanzig Paar Schuhe, die das Krankenhaus nach und nach zur Altkleidersammlung gegeben hat. Walters Stimme klingt wie die eines jungen Mannes. Er wäre der Richtige, um mit Lou zu sprechen. Nur die Worte müßte ein anderer formen. Vielleicht sollte sie mich dabei ansehen. Ich müßte der Richtige sein, um sie nicht zu erschrecken. Ich war das Zwiebackkind, ein runder, properer Junge. Ich weiß nicht, wieviel davon übriggeblieben ist. Bei der Zwangsrasur jede Woche kneife ich die Augen fest zusammen, wenn sie mir einen Spiegel hinhalten. Lou nimmt keinen von uns wahr. Sie sitzt auf ihrem Bett, und die langen Haare machen eine Trauerweide aus ihr. Sie ist ein Schatten in der Nacht. Wir malen Gespenster auf ihr Laken.

Wenn es Essen gibt, langt sie nach ihrem Teller und ißt allein. Sie bleibt von der täglichen Hackordnung des Fütterns verschont. Die Schwestern spielen mit uns. Sie wechseln jeden Tag die Reihenfolge, in der sie an unsere Betten herantreten und die Löffel in unsere Münder stecken, sie jonglieren mit unserem Hunger. Doch der ist uns schon lange vergangen, unser Magen knurrt nicht mehr, ein Braten kann uns nicht mehr locken. Essen ist beruhigende Routine, wir werden gefüttert, wie Schweine, wie Könige. Währenddessen heften wir unsere Augen auf Lou. Lou ißt mit der Präzision einer Maschine. Sie kleckert nicht und schaut nie auf. Sie führt das Besteck genau bis vor ihren Mund, stoppt dort, ihre Lippen schnappen nach vorn, stülpen sich über das Silber, sie saugt, schluckt, verschwendet keine Zeit darauf zu kauen, schluckt alles hinunter und zieht den Löffel nur widerwillig heraus. Wir alle sind verliebt in sie. So wie sie dasitzt und nichts mit uns teilt.

Lou ist unsere Zimmerpflanze, die ins Blaue hinein- wächst, tastend und mit Sprossen, aber stetig. Ich fra- ge mich, ob die Schwestern und Pfleger spüren, was los ist. Wahrscheinlich nicht, denn sonst würden sie vielleicht die Schläppchen unter Lous Bett entfernen. Ich lege den Kopf zur Seite und döse weg. Lou spricht selten. Ich merke mir all ihre Worte. Eines hat sich mir besonders eingeprägt: »Blausäure.« Sie sagte es, als draußen die Bäume kahler wurden und am Abend das erste Mal das blaue Licht auf ihre Decke fiel. Vorher hatte sie das Bett in unserer Mitte gehabt, doch wir spürten, wie unwohl sie sich inmitten von uns stum- men Verehrern fühlte. Friede war es, die Platz für sie machte. Friede hatte die Aura einer Schmuckschatulle, über und über mit Seesternen beklebt und innen mit rotem Samt ausgekleidet. Sie hatte Augen, die sich wie Muscheln schon zu Lebzeiten über ihr geschlossen hatten. Sie war blind, und als ihre Ohren langsam nach innen wuchsen, hörte sie auch das Schluchzen aus ihrer Kehle nicht mehr. Zuletzt spürte sie nur noch die feinen Lichtfäden, die durch das Fenster auf ihr Bett glitten. Ihre grauen Hände waren nicht größer als die eines Kindes, ihre Streichholzfinger genauso kurz. Sie legte sie über die Stirn, als sie starb. Lou bekam ihr Bett. Sie krabbelte auf die Matratze mit dem glück-lichen Ausdruck einer Schiffbrüchigen, die ein Floß gefunden hat, setzte sich in den Sonnenstrahlen auf und hielt ihr Gesicht zum Fenster gewandt. So blieb sie sitzen, während der Tag verging. Dann, als der Abend kam, sagte sie es: »Blausäure.« Sie sagte es nur einmal, so schnell, daß ich selbst einen Moment da-nach nicht mehr sicher war, ob sie es gesagt hatte. »Blausäure.« Beim Einschlafen versuchte ich, mich an die chemische Formel zu erinnern.

In dieser Nacht träumte ich von Lorenz. Er zeigte mir Photos von seinen Eltern und erklärte mir, was sie am liebsten aßen. Sein Hund leckte mir dabei den Rücken rauf und runter, er hob eine nasse Straße aus, die meine Wirbel freilegte. Mein Gaumen zuckte. Ich faßte Lorenz an den Hals, und wir waren in einem Schloß. Hinter den Gardinen drehte sich ein kleines Mädchen um sich selbst. Ich sah es, als ich den Vorhang kurz lüftete. Ich war eine Frau mit langem Rock, der mich stolpern ließ, als Lorenz rief: »Komm.« Es sollte ein Fest geben. Seine Schwester Maria war da und schnappte nach Brezeln, die an einer Schnur hingen. Ich biß ihr in den Hals. Einzig Lou zwingt mich aus meinen Träumen zurück. Wenn der Wiegenlaut, dem Lous Name entspringt, wenn ihre Hasenaugen, ihr Schleierhaar, die Knotenfinger in mein Gedächtnis kommen, schlage ich die Augen auf und vergewissere mich, daß sie noch da ist. Sie dreht dann versonnen eine Haarsträhne um ihre Finger oder starrt bewegungslos aus dem Fenster. Ich schaue ihr dabei zu, bis sie den letzten Zipfel Traum aus mir vertrieben hat. Ich träume häufig von Lorenz, obwohl er nicht wichtig war in meinem Leben. Zu mehr als einem Kaffee am Mittag hatte es nie gereicht, und mit dem Abendessen war er schon wieder aus meinem Kopf gesegelt. Trotzdem begleitet er mich in meinen Träumen, zerrt an mir. Ich habe ihn schon tausendmal erschlagen, gekauft, bin mit ihm geflogen, aber immer war er am Morgen weg.

Ich schaue auf Lou, während ich an Lorenz denke. Dazu muß ich den Kopf nach links drehen, und meine Augen rollen in den äußersten Winkel, über den Brillenrand hinaus. Lou ist für mich eine Nebelgestalt, eine Elfe ohne Falten und Unebenheiten. Lou, in diesem Namen liegt unsere Kindheit, all die vergessenen Schlaflieder, bevor die Gespenster auf der Tapete des Kinderzimmers wuchsen und ihre Arme nach uns ausstreckten. Was wir ihr geben können, ist wenig. Aber wir müssen sie füttern wie eine Larve, sonst stirbt sie. Heute, nach dem Mittagessen, habe ich gesehen, wie ihr Glanz plötzlich verschwand, nur für einen Moment wie ein Wackelkontakt an der Nachttischlampe, aber es war deutlich. Sie ist schon zu lange hier. Walter neben mir hat den Ausdruck einer greisen Kassandra im Gesicht, doch er sagt nichts. Lou läßt ihr Bein aus dem Bett hängen. Es schaukelt ein wenig hin und her, es könnte auch ein Zittern sein. Es ist so weiß und mager, ihr Bein, daß ich schreien möchte. Zum ersten Mal kann ich sie nicht mehr anschauen. Ich schaue auf die Wand gegenüber, und als ich das nicht mehr ertrage, schiele ich an meiner Brille vorbei. Die Welt wird wieder glatt und schwimmend, weit weg. Ich sehne mich nach Musik, nach etwas, das meinen Körper durchdringt. Es gibt hier keine Musik, nur die Schulkinder, die sie Weihnachten in den Saal scheuchen. Ich schiebe meine Brille hoch, Lou ist immer noch da. Ihre Augen sind unter einem Vorhang aus Haaren verborgen, sie hat die Schläppchen an den Fingern. Es ist Tag, und sie stehen still auf den Spitzen. Sie schlingern nach vorn, drohen umzuknicken, fangen sich dann und verharren weiter wie Königinnen. Ich gleite unter meine Decke und linse aus Augenschlitzen zu der Gestalt am Fenster hinüber. Lou hebt die Schläppchen. Hoch. Bis über ihren Kopf. Sie fallen wie zwei Einbäume den Wasserfall hinunter und schwingen sich wieder auf, zu einer Musik, die keiner von uns hört. Und in der warmen Oktoberluft, die durch einen Fensterspalt mit den letzten Blättern des Jahres hereinströmt, rieche ich plötzlich einen fremden Geruch im Saal. Erst weiß ich nicht, was es ist. Dann spaziert meine

Mutter kopfschüttelnd über meine Stirn, und ich erinnere mich. Ich soll kein Marzipan essen. Es riecht nach bitteren Mandeln. Und Lou tanzt, gefüllt mit unseren Träumen, als wäre es das letzte Mal.

Ich mag deine Lippen, sagt der Mann. Sie sind so
harmlos. Er rückt näher, und der Flohmarktgeruch seines Regenmantels steigt mir in die Nase. Aus den
Lautsprechern hinter mir tönt blechern fremde Musik.
Ich sitze in der Kinokneipe, ein Taxifahrer im gelben
Südwester an meinem Tisch, vielleicht doppelt so alt.
Meine Jugend klebt an mir wie Honig. Sein Bienenrüs-
sel wächst, ich kann es sehen, während ich mich win-
de und drehe, den Strohhalm der Limonade zerknülle
und mäkele, viel zu süß. Mehr brauche ich nicht zu
sagen. Ein kleiner Wink reicht, und er bestellt mir
Schnaps. Ich verziehe das Gesicht und genieße das
Brennen in meiner Kehle. Insgeheim. Sie mögen
nicht, wenn man zu abgebrüht erscheint. So sitze ich
in Babyblau ihm gegenüber und höre zu. Er erzählt

mit hessischem Dialekt von dem Regentanz der Yano-
mami-Indianer. Er studiert im achtzehnten Semester
Ethnologie. Er hüpft auf und ab, rammt einen imagi-
nären Speer in den Boden und rollt die Augen unter
grauen Brauen. Ich werde heute nicht nach Hause gehen.

Nach Hause, wo Joseph die schwarze Soullady durch
die Boxen jagt, so daß der Boden meines Zimmers
bebt. Ich weiß nicht, ob er an derselben Sehnsucht lei-
det wie ich, dieser englische Soldat ohne Heimatur-
laub und Armee. Ich könnte es riskieren, Joseph über
die Haare zu streichen, wenn ich nach Hause komme,
zerzaust und umnachtet. Er weiß nichts von mir. Vor
vier Wochen erst bin ich eingezogen. Ich zog ein, als
seine Freundin nach Kuwait ging, sie ist Journalistin.
Was wohl heißt, daß sie zurückkommen wird. In jedem Fall früher als mir lieb ist.

Der Indianerforscher aus der Kinokneipe betritt Feind-
gebiet. Er schiebt erst seinen Bierdeckel vor, dann seine Hand nach, die nun nach meiner fahndet. So

plump, daß ich es einfach geschehen lasse. Ich tue so, als bemerkte ich es nicht. Er kann meine Finger kneten, ich bleibe ungerührt. Meine Hand ist in einer komplizierten Stellung mit der des Indianerforschers verschlungen, was er nutzt, um mich über seine Tantra-Vorlieben aufzuklären. Ich soll den Indianerforscher Richie nennen. Er trägt einen Body mit Silberstreifen, wenn er baden geht. Keine Ahnung, wie er es geschafft hat, mir das zu erzählen, keine Ahnung, wie ich mein Gähnen unterdrückt habe.

Gestern war es drei Uhr, als Joseph und ich nach Hause gingen. Er hatte mich mit zu seinen englischen Freunden genommen. Wir saßen vor dem falschen Kaminfeuer, Nick sprach über U2s Botschaft an die Welt, Sarah wehmütig über die Wombels im Fernsehen und Joseph über gar nichts. Wahrscheinlich dachte er in die Plastikflammen versunken an seine Kate, die gerade vor den brennenden Ölquellen stand. Ich beneide ihn. Ich gehe mit Männern, die mir nichts bedeuten, aber alles versprechen. Und stecke gleichzeitig mit meinem Jugendfreund unter einer Decke, die er für seine hält, die aber in Wirklichkeit mein Mäntelchen des Anstands ist. Er heißt Bernhard und züchtet Hühner. Das ist süß, mehr nicht. Ich treffe mich mit Taxifahrern in Kinokneipen und mit Malern in Pizzerien. Mit Männern, die keine Decke haben und bei denen ich keine brauche, weil ich nicht lang genug bleibe. Ich habe es mir anders vorgestellt, als ich dreizehn war und meine Tage kriegte und glaubte, dafür was gut zu haben, bei wem auch immer.

Als Richie gestern anrief, wußte ich nicht, wer er war. Er hatte mich im Judoclub gesehen. Es ginge ihm um Wurftechniken, sagte er. So kam ich in dieses Lokal, das ich das letzte Mal mit dem Kegelclub meines Großvaters besucht hatte. Da war ich sieben. Die getäfelten Wände sind zum Schreien. Ich würde wegrennen, wenn ich nicht zu träge wäre. Männer brauchen leere Leinwände, die sie bepinseln können, keine altklugen Meister. Sagte meine Mutter. Gegen Malen nach Zahlen haben sie allerdings nichts. So zupfe ich an meinen Haaren und schiele zum Ausgang. Richie versteht. Er zahlt, und wir gehen.

Die Ärztin vom Gesundheitsamt kennt mich schon, obwohl sie es nicht darf. Anonym soll es hier sein. Den Fragebogen für die staatliche Statistik füllen wir mit vielen erhobenen Augenbrauen zwischen den Zeilen. Habe ich ungeschützt...? Ich sitze auf einem orangenen Plastiksessel, wie sie bei Schützenfesten in der Turnhalle aufgestellt werden. Man kann darauf nicht sitzen, nur schaukeln. Eine Kanüle mit meinem braunroten Blut liegt vor der Ärztin. Ungeschützter Verkehr? Klar, ich hab den Führerschein erst nach vier Prüfungen gekriegt. Ich, frei auf der Straße, das ist Risiko genug, oder? Ihre Augenbrauen hängen fast am Haaransatz. Nein, natürlich habe ich nicht ungeschützt, für was hält sie mich. In einer Woche kann ich das Resultat abholen.

Josephs Freundin ist zurück, und ich muß meine Koffer packen. Sie hat ältere Rechte. Richie kommt mit seinem Taxi. Hätte ich nicht Josephs Kreditkarte eingesteckt, fiele mir der Abschied schwerer. So wird er sich erinnern. Ich habe keine Wohnung. Mir bleibt nichts anderes übrig als zurückzugehen. Nach Hause.

Der Hinterkopf meiner Mutter wird licht. Es sieht aus wie eine Tonsur bei Mönchen. Bezahlt man heute so, sagt sie in diesem weinerlich-vorwurfsvollen Ton, der so klingt wie Gallseife riecht. Hinter der Gardine verborgen hat sie gesehen, wie ich dem Taxifahrer einen Kuß gegeben habe. Er hat graue Haare, bemerkt sie richtig. Ich erinnere sie nicht an ihre. Ich ziehe die Gelatine des Erdbeerkuchens durch meine Zähne und schweige. Meine Mutter fixiert mit ihren Augen jede meiner Bewegungen. Gleich wird sie ihre Arme ausbreiten und mit Fledermausschwingen durch den Raum gleiten. Es ist dunkel wie in einem Krankenzimmer. Was ist mit Bernhard? fragt sie. Was soll mit Bernhard sein? Bernhard war immer da und wird immer da sein. Glaubst du nicht, daß du uns ein paar Erklärungen schuldig bist? Ich stehe auf und gehe, gerade früh genug, um zu sehen, wie Richie das nächste Mädchen anspricht.

Ich hole Doris ab. Sie jobbt aushilfsweise als Dame ohne Kopf auf dem Jahrmarkt. Heute mußte sie für das Mädchen, das auf den Messern geht, einspringen.

Sie reibt jaulend ihre Fußsohlen, als ich in den Bretter-
verschlag komme, den sie Künstlerkabine nennen. Gib
mir deine Hand, teure Freundin! winselt Doris. Ich
strecke meine Hand aus, die Handfläche nach oben,
geöffnet wie für Gaben. Dummkopf, du sollst mir auf-
helfen! Arm in Arm humpeln wir über den Jahrmarkt,
Doris flucht, die Messer waren nicht so stumpf, wie
das Mädchen versprochen hatte. Wir ziehen durch die
Stadt. In Kopenhagen haben sie der kleinen Meerjung-
frau den Kopf gestohlen. Es gehört eben nicht viel
dazu, ein Mädchen den Kopf verlieren zu lassen.
Schon zum zweiten Mal. Petra Wonnigut aus dem
Jahrgang über uns hat einen zum Islam konvertierten
Spanier geheiratet und rennt nun im schwarzen Ganz-
körperschleier mit ihrem unverhüteten Baby herum.
Es kam ganz kurz vor dem Abitur. All das, nachdem sie
nicht mehr mit Mohnblumen spielte. Wer weiß, was
uns da blüht? Doris und mir kann keiner erzählen, daß
Männer keine Märchen mögen. Wer einmal Dame
ohne Kopf war, weiß Bescheid. Den ganzen Tag im
Badeanzug auf einem Holzschemel zu sitzen, ab dem
Hals von einer Spiegelwand verborgen, in ständiger

Sorge, ob ein Schamhaar zu sehen ist oder eine Speck-falte, das ist Lehre genug. Während vor deinem Bauch die Gaffer vorbeispazieren und versuchen, dich mit ihren Schießbudenrosen zu stechen, lernst du, was es heißt, eine Legende zu sein. Ich schaue auf meine ge-rillten Nägel, denke an Tonsuren und den Bluttest, sage: Hey, Doris! Ist der Job als Messerwerferin noch frei? Doris mustert mich und sagt: Was für Ziele hast du denn?

Die **Insel**

Ich lebe auf einer Insel umgeben von einem Meer alter
Autos. Es sind Wracks, leere Metallhülsen, im Laufe
der Jahre kilometerweit aneinander gerostet. Ich bin
die einzige, die das Meer beobachtet. Es verändert sich
ständig. Wenn der Nebel abzieht, an den man sich auf
der Insel gewöhnen muß wie an Verkehrsregeln, sehe
ich nie dasselbe Bild. Niemand achtet darauf, aber die
Wagen verschieben sich. Unmerklich wie satte Rep-
tilien, die in der Sonne dösen. Man hat sie hierher-
gefahren, weil ihre Zeit vorbei ist, doch selbst auf dem
Friedhof können sie nicht sterben. So weit ich blicken
kann, verbeißen sie sich zu Schrottfiguren.

Der Nebel überschwemmt das flache Land in meinem
Rücken bis an das Ufer, wo ich meinen Platz habe. Ich

starre auf die Wracks. Der Regen staut Öl, Benzin und Müll zu Pfützen. Obwohl ständig Einzelteile und ganze Kotflügel im Morast versinken, wird das Meer nicht flacher. Es ist unmöglich zu sagen, ob ganze Autos verschwinden und durch neue, die hinzukommen, ersetzt werden. Meine Augen sehen nicht, was geschieht. Nur mein Verstand sagt mir, daß es so sein muß.

Ich bin kein Forscher, der jahrelang gräbt, um Versteinerungen toter Lebewesen freizulegen. Ich kann nicht in Knochen lesen, in Skeletten mit Heckscheiben und Radkappen schon gar nicht. Aber auf die Kunst des Knochenlesens stieß ich, als ich im Supermarkt eine Cornflakes-Packung aus dem Regal nahm. Sie nannten das Spiel Fossility. In jeder Packung lag ein Kunststoffstein, in den das Relief eines Tierkörpers gestanzt war. Wenn man mit einem Finger blind über die Oberfläche fuhr, konnte man sich einbilden, etwas Besonderes gefunden zu haben, einen winzigen Elefanten, eine Eidechse, aus Plastik gestanzt. Fossilien. Ich starrte auf die Rückseite der Packung, auf der sie das Spiel erklärten, und murmelte das fremde Wort vor mich hin. Ob ich nur meine Lippen bewegte oder es laut aussprach, das Überwachungsvideo des Supermarktes zeigte es nicht. Ich habe die Packung gekauft. Während ich mit den Cornflakes den Vordersitz bekrümelte, weil ich zu faul war, mir Wasser für das Milchpulver zu besorgen, überlegte ich, ob all die Schrauben, die Muttern, die Scherben, das Blech, ob sie wie die Leichen von Lebewesen zu Kohle verrotteten. Auf die Packung war ein Querschnitt der Erde gedruckt. Die verschiedenen Erdschichten, ihre Zeitalter und Namen, der heiße Kern. Ich habe mir die Rückseite der Packung auf das Armaturenbrett geklebt. In der Sonne vergilbt das Papier unter der Windschutzscheibe. Mein Wagen hat einen Dauerparkplatz am Friedhof der Autos, er steht mit der Motorhaube zum Trümmerfeld. Wenn ich meinen Wagen jemals verlassen sollte, müßte ich ihn nur ein paar Meter weiter schieben. Unsicher würde er an der Betonkante über dem Meer der Autos schwanken und dann mit einem Krachen herunterstürzen. Wenn ich später wiederkommen sollte, würde ich ihn nicht mehr finden. Ich starre auf die Wracks, ich starre und beobachte.

Ich habe nie jemanden im Meer der Autos gesehen. Der einzige Mensch, der manchmal zu mir kommt, ist der Ingenieur. Er besitzt eine Tankstelle, ein paar hundert Meter weiter am Ufer. Er hat nur wenige Kunden. Insgeheim nenne ich ihn Dummy, er erinnert mich an die Testpuppen, die zerstört aus Unfällen auferstehen. Sein Ohr ist zerfetzt, und die Partien seines Gesichtes verschieben sich wie der Schrott vor uns. Einmal hat er keine Nase. Da sind nur zwei Löcher, aus denen ich, wenn er ausatmet, Schleimblasen aufsteigen und platzen sehe. Ich fange gerade an, mich daran zu gewöhnen, daß er redet wie kurz vor einer Polypenoperation, da klopft es an die Scheibe meines Seitenfensters. Ich drehe meinen Kopf, bemerke eine Grimasse, die sich an meiner Scheibe festsaugt. Dann erkenne ich, daß es der Ingenieur ist. Er löst sich von der Scheibe, ich sehe seine Nase.

Ich öffne die Beifahrertür, er steigt ein, wendet mir sein Profil zu und fängt an zu reden. Ich starre auf seine Nase, die oben einen Höcker hat. Fabelhaft, sagt er. Fabelhaftes Wetter heute. Habe meine Zapfsäulen heute allein gelassen. Dachte mir – laß mal, heute nicht. In den letzten Tagen eh' so viel Regen abbekommen. Ist ganz gut. Sie trocknen zu lassen. In Ruhe. So redet er. Seit es keine Sprecher mehr im Radio gibt, höre ich ihm länger zu. Wir schauen beide geradeaus, er redet, ich trainiere meine Gesäßmuskeln und versuche mich an den Klang seiner Stimme zu gewöhnen. Er redet langsam, muß nach den Wörtern suchen. Verstohlen schaue ich ihn von der Seite an. Einmal wendet er den Kopf, schaut mich an, ich drehe den Kopf so weit, daß ich gerade noch das Loch unter dem rechten Auge sehe. Der Wangenknochen fehlt. Die Haut wölbt sich nach innen wie eine Augenhöhle. Hätte ich nicht meinen Rückspiegel, wüßte ich nicht mehr, wie ein Gesicht aussieht. Kommt der Ingenieur, fällt es mir schwer, ihn nicht für mein Spiegelbild zu halten. Es ist schwierig zu begreifen, daß nicht alles, was ich sehe, ein Bild von mir ist. Ich fühle mich schlecht, wenn er schlecht aussieht, und gut, wenn er eine neue Nase hat. Wenn dem Ingenieur die Wörter ausgehen, hält er sich die Ohren zu, das zerfetzte besonders vorsichtig. Er wölbt seine Hand darüber, damit sie nicht die ausgefransten Ränder berührt. Ich glaube nicht, daß das Ohr weh tut, aber es muß unangenehm sein. Läßt er die Hände wieder auf den Stoff seines blauen Arbeitsoveralls sinken, dann hat er neue Sätze in seinem Kopf. Es scheint, als ginge das leichter, wenn man die Ausgänge verstopft. Hier sind überall Strahlen, Strahlenstraßen, wenn deine Gedanken zufällig eine kreuzen, kannst du sie vergessen, vielmehr: Sie sind vergessen.

Ich habe früher nicht viel nachgedacht. Früher war nicht hier. Ich hatte einen Drehstuhl und keinen Autositz, den man nach hinten klappen kann. Mein Drehstuhl stand vor einem Schreibtisch und der vor einem Fenster ohne Gardinen. Die Nachbarn hätten reinschauen können, aber da war nie jemand. Mein Drehstuhl stand vor dem Fenster ohne Gardinen, es wird hell, es wird dunkel, die Wolken verändern sich, keine Geräusche. Genügend Essen muß es wohl gegeben haben, aber es war unwichtig, und es lohnte sich nicht, darüber nachzudenken, warum heute nur zwei Löffel Erbsen und kein Kartoffelbrei. Ich saß wie ein Affe auf dem Drehstuhl, mit angewinkelten Beinen, mein Kopf hing fast bis auf die Knie herab. Ich kratzte mich manchmal am Kopf und stand auf, um auf die Toilette zu gehen. Der Drehstuhl war meine Droge. War ich müde, drehte ich mich. Ich stieß mich mit hartem Schwung vom Boden ab und drehte mich so lange, bis mir die Augen zufielen. Natürlich hätte ich warten können, bis das von alleine geschah. Nie bin ich nachts aufgewacht. Wenn ich mich vorher lang genug gedreht hatte. Drehen half immer. Man stumpft nicht ab. Du spürst das Schwindelgefühl immer wieder. Aber manchmal haut es dich um. Ich habe verschiedene Arten des Drehens entwickelt. Es gibt bestimmte Regeln, die zu unterschiedlichen Ergebnissen führen. Die zeitlichen Abstände zwischen den Schwüngen, das Tempo, die Sitzposition. Am wichtigsten aber ist der Blick. Der Blick ist entscheidend. Du mußt dich konzentrieren, deine Augen festhalten, alles andere ausblenden, dann wird dir nicht schlecht. Du siehst die Welt hinter den Dingen. Mit der Zeit lernte ich meinen Blick zu kontrollieren, und Toni begann mich zu vergessen. Vorher hat er ein paarmal schimpfend das Erbrochene weggewischt, weil ihn der Gestank beim

Malen störte. Toni lebte in der anderen Ecke des Zimmers. Er hatte da ein Bett, einen Tisch, einen Campingkocher und vor allen Dingen seine Staffeleien. Immer, wenn ich mich drehte, war ich gezwungen, sein Leben dort hinten wahrzunehmen. Ich sah das blaue Feuer des Campingkochers, die karierten Hemden auf dem Boden, Blätter überall und Stifte, Pinsel, Farben, das Dunkle war Toni. Ich sah nur die Schemen. Er bemerkte mich nur, wenn es stank. Soweit ich mich erinnern kann, war Toni nicht immer da. Es kam vor, daß ich ihn so lange nicht mehr sah, daß er sich neu vorstellen mußte, wenn er kam. Wenn Toni weg war, war ich oft zärtlich zu meinem Stuhl. Er hatte ein braunkariertes Sitzpolster, an dem ich mich rieb. Dazu mußte ich meine Affenhaltung aufgeben und die Beine auf den Boden spreizen. Ich kam eher durch Zufall darauf. Dann fing ich an, mich dabei zu drehen. Ich kippte nach vorn und hielt mir den Kopf. Mit dem Sturz hat es, glaube ich, angefangen. Es war, als wäre eine Sanduhr in meinem Kopf umgekippt, und der Sand würde innen an meinem Schädel reiben. Ich begann zu warten. Ich wartete auf den Moment, in dem

Toni das Zimmer verließ. Es reichte nicht mehr, daß ich gelernt hatte, mich wegzudrehen, ihn nicht mehr zu bemerken, ich wollte mit meinem Drehstuhl allein sein. Aber auch als Toni immer seltener kam, hörte das Warten nicht auf. Ich fing an, meine Füße zu berühren. Ich habe lange gebraucht, um bis zu meinem Kopf zu kommen. Ich habe nie Wörter vergessen, nie Gerüche, aber Berührungen.

Der Ingenieur sitzt neben mir. Mit einem Griff versichere ich mich, daß die Tür des Wagens offen ist. Immer, wenn der Ingenieur neben mir sitzt, öffne ich meine Fahrertür, damit seine Worte nicht an die Scheiben prallen wie ein Schwarm Vögel. Für gewöhnlich hilft das. Seine Worte drängen hinaus und über die Dächer der Autos davon. Er schickt ihnen neue nach, die nach den ersten suchen sollen, ihren Auftrag vergessen und einfach fortfliegen. Aber heute stehen seine Worte in der Luft vor mir und schlagen mit den Flügeln: Was hast du gemacht? Die Frage schneidet die Luft. Keiner hier darf nach der Vergangenheit fragen, auf einer Antwort beharren. Er reißt mir den Boden

unter den Füßen weg, er weiß, daß er das nicht darf.
Ich drehe meinen Körper zur Seite und stelle einen
Fuß auf den Beton unter dem Wagen. Ich spüre den
Blick des Ingenieurs in meinem Rücken: Wo warst du?
Was hast du gemacht? Ich setze den zweiten Fuß auf
den Beton. Was war es? Er beugt sich vor. Selbst wenn
ich es wüßte, könnte ich ihm nicht antworten. Er wartet. Ich lasse meinen Kopf zwischen die Knie sinken
und schließe die Augen. Was hast du gemacht? Er
macht mir Angst. Das sind keine Vögel mehr, das sind
laute, schlagende Helikopter. Ich kenne ihn schon so
lange, er darf neben mir sitzen, aber so war er noch
nie. Einen Moment lang suche ich eine Antwort. Meine Augäpfel flippern unter den Lidern. Da ist der Ge-
danke auch schon vorbei. Ich kann ihm nicht antworten. Eine Hand berührt mich an der Schulter. Ich fliege
von dem Autositz und bin erstaunt, daß mich meine
Füße tragen. Ich renne, bis ich nicht mehr kann und
dann noch ein Stück weiter. Als ich mich umdrehe,
sehe ich meinen Wagen nicht mehr. Der Nebel ist un-
durchdringlich, der Tank meines Wagens leer. Zurück
wird der Ingenieur laufen müssen.

Ich stehe vor dem Supermarkt. Die Leuchtbuchstaben
sind verwischt vom Regen, der Parkplatz leer. Ich be-
trete das Gebäude. Gestützt auf einen Einkaufswagen
fahre ich die Regale ab. Die Marktaufsicht sitzt auf
einer gläsernen Empore am Ende der Halle. Ich kann
hinter den spiegelnden Fensterscheiben niemanden
erkennen. Ich nehme Milchpulver, Cornflakes, Vit-
amintabletten aus den Regalen, Tubenkäse und Fla-
denbrot, packe alles in große Tüten. So gehe ich hinaus in den Regen. Ich folge der Straße nach Norden.
Die Klippen am Meer der Autos fallen steil ab. Die Wagen türmen sich fast bis an die Kante heran. Ich werfe
meine Tüten auf die Wracks. Dann lasse ich mich vorsichtig tastend selbst auf ein Autodach gleiten. Der
Wagen droht umzukippen, aber ich schaffe es, das
Gleichgewicht zu halten. Auf Händen und Füßen
krabbele ich in das Meer der Autos hinein. Die Insel
verschwindet hinter mir im Nebel. Weit draußen fin-
de ich eine Fahrerkabine. Ich schiebe die Tüten hinein,
krieche durch das Fenster nach. Über mir türmen sich
die Wracks in den Himmel. Der Boden hier scheint
fest. Ich muß nicht befürchten, im Morast zu ver-

schwinden. Ich stelle eine Konservenbüchse als Regensammler auf. Ich schlafe ein. Ein kratzendes Geräusch weckt mich. Hastig gleite ich in den Fußraum neben dem Gaspedal. Es kratzt weiter. Es klingt wie eine Feile, die über Metall gezogen wird. Ich luge aus dem Fenster, sehe Fersen mir zugewandt, wage es, mich emporzuziehen. Der Mann steht auf den Autos.

Er sieht mich nicht, ich bin verborgen unter all dem Schrott. Der Mann beugt seinen Rücken über eine Motorhaube. Mit einem Metallhaken kratzt er Zeichen in den Lack. Ich umklammere meinen Schraubenschlüssel, bereit zuzuschlagen. Da erkenne ich die dunklen Locken wieder. Es ist Toni. Er dreht sich um. Wir schauen uns an.

Stelldichein

Mark sitzt auf dem Sofa und spricht mit der Waschmaschine. Die Waschmaschine gehört Frau Leiseder.
Der Schlauch ist gerissen, die Anschlüsse sind verkalkt.
Jana ist vor drei Stunden weggefahren, um einen neu-
en Schlauch zu kaufen. Jana und Mark reparieren alles.
Waschmaschinen, Möbel, Fahrräder, sie treiben den
letzten Holzwurm aus Omas Schrank. Am Rande der
Stadt haben sie eine kleine Werkstatt. Den ganzen Tag
hantiert Mark mit giftigen Klebern, Heißbrennern,
ätzenden Stoffen. Marks Hände sind zerschnitten, die
Wunden eitern. Jana kommt und schwenkt den neuen
Schlauch, schnappt sich den Pinsel und streicht einen
winzigen Rahmen an. Jana, sagt Mark. Laß uns mal
was unternehmen. Wieso? Fragt Jana. Wir sehen uns
doch den ganzen Tag. Jana schläft mit Mark und Dieter

und Stefan. Sie schwört keinem Liebe bis zum ersten Tag. Mark will, daß sie ihn einmal richtig ansieht, daß sie ihm einmal sagt, daß er genug sei. Er erzählt es seinem Anrufbeantworter, um zu prüfen, wie es sich anhört. Er löscht die Nachricht.

Am Samstagabend packt Mark Jana in seinen alten Saab. Jana braucht kein eigenes Auto. Er fährt zum Kaiserlei-Kreisel. Er parkt hinter den Seitenmarkierungen im Gras. Auf der Verkehrsinsel unter der Autobahnbrücke leuchten ein paar Grablichter. Ein Plattenspieler steht auf einem Tapeziertisch. Ein paar dunkle Gestalten lungern mit Rotwein in Plastikbechern um den Discjockey herum. Jana weigert sich auszusteigen. Eine illegale Party, lockt Mark. Der Typ, der uns das tschechische Holz verkauft, ist auch da. Sie werden fast von einem Auto überfahren, als sie über die Straße eilen. Der Fahrer hupt. Jana zeigt ihm den Mittelfinger. Es ist zu dunkel, der Autofahrer kann ihn nicht sehen. Die Motorengeräusche der Autos mischen sich mit den Texten der Hamburger Schule auf dem Plattenteller. »Ich geb mir die Kugel/einmal Neune/Russisch Roulette im U-Bahn-Set.« Der Sänger klingt, als ob er nie Butter auf dem Brot gehabt hätte. »Du hattest Lust/ich den Frust/du hast gesagt/alles fängt an/da glaub ich nicht dran.« Die dunklen Gestalten nicken unter ihren Kapuzen mit den kahlrasierten Köpfen. Alle sind furchtbar illegal. Hey, das is' ja die Jana! Ein Typ mit leuchtenden Turnschuhen umgreift Janas Schultern, küßt sie links und rechts, mustert Mark. Es ist Stefan. Jana wiegt ihre Hüften. Ihr Kopf bleibt unbeweglich. Stefan mit den Leuchtturnschuhen redet von Leuten, die Mark nicht kennt. Stefan ist bester Laune. Mark holt Bier. Stefan langweilt Jana. Sie schaut Mark an, zieht eine Grimasse. Sie lassen Stefan stehen. Der dreht sich mitten im Satz um und redet einfach mit den Leuten hinter ihm weiter. Einen Schritt weg von den Kerzen ist es stockdunkel. Jana und Mark stolpern über die Wiese. Es riecht nach Autoabgasen. Vor ihnen Plattenbauten, über ihnen der Himmel und davor die Autobahnbrücke. Jana stößt Mark ins Gras, der Boden ist hart und uneben, staubig. Er will sie zu sich runterziehen, sie wehrt ab. Gestern war ich bei Dieter. Er ist jetzt Abteilungsleiter. Mark hat keine Lust auf längere Hörspiele. Jana steht immer noch über ihm. Er zwängt den Fuß zwischen ihre Beine, kickt sie auseinander, der Rock spannt. Sie schiebt ihn leicht hoch. Dieter und ich, wir waren essen. Fisch. Bei dir um die Ecke. Mark reißt ihr die Beine unter dem Körper weg, und sie stürzt auf ihn. Er schwingt sich auf Jana, nestelt den Rock hoch. Stimmengewirr und Musik dringen herüber. Manchmal streifen Scheinwerfer über Jana und Mark. Jana schweigt, Mark atmet schwer. Er arbeitet sich an ihrem Körper hoch. Gefällt dir das? Jana antwortet nicht. Mark reibt an Jana herum, die rührt sich nicht, starrt in den Sternenhimmel. Sie ist halbnackt. Neben Marks Kopf, zwischen den Gräsern, taucht ein Leuchtstreifen auf. Stefan schaut zu ihnen herunter. Macht's Spaß, Alter? Jana wacht aus ihrer Schneewittchenstarre auf. Runter da. Blitzschnell ist sie auf den Beinen, klopft sich die Erde vom Rock. Stefan mit den Leuchtturnschuhen fragt, alles in Ordnung bei euch?

Mark gibt sich frei. Er meidet die Werkstatt. Seine Schwester liefert den kleinen Neffen bei ihm ab. Sie muß zur Gebärmutterausschabung. Der Junge heißt Geoffrey. Der Vater ist Österreicher und flötengegangen. Geoffrey ist drei. Er rennt in Marks Zimmer herum und stürzt sich auf das Telefon. Er entdeckt die Findefunktion, das Telefon piept, es will gefunden werden. Mark sagt, Geoff, das nervt, mach das aus. Geoff schleudert das Telefon in die Ecke. Das Telefon ist still. Mark ruft vom Münzapparat drei U-Bahn- 115 Stationen entfernt den Kundenservice an. Geoff lungert an der Bahnsteigkante herum. Mark läßt ihn nicht aus den Augen, drückt die Gabel herunter und wählt. Er hört die U-Bahn kommen. Geoff reckt sich über die Gleise, Mark läßt den Hörer fallen und rennt zu dem Kind.

Es gibt viel zu reparieren. Mark muß in die Werkstatt, Geld verdienen. Jana beizt gerade eine Wäschetruhe, sie tut, als sei nichts gewesen. Nach Erbsensuppe aus der Dose und zehn platten Fahrrädern vergißt Mark seine schlechte Laune. Komm, sagt Jana, Schlappschwanz, wir machen's uns gemütlich. Sie knautscht sich auf das Sofa. Die Werkstatt ist ein ehemaliges

Treibhaus. Ein paar Pflanzen stehen immer noch herum. Mark läßt sich neben Jana fallen. Er schaut in den Regenwald. Er zieht an seiner Zigarette, entspannt sich. Jana legt ihren Kopf in seinen Schoß, blickt zu ihm auf. Sie sagt: Schau dir amerikanische Pornos an, dann weißt du, wie's nicht ist. Moralisch. Mark hat nie von Moral gesprochen. Jana sagt, hier kommt keiner in die einsame Holzhütte und nimmt dich mal so richtig ran. Und fragt dich dann, ob du deinen Mann liebst. Da weißt du, es ist ein Film, einer dieser Schinken, die sie in den Bergen hinter Los Angeles basteln. Mainstream. Jana lacht verächtlich. Erzähl mir, wie war dein erster Puffbesuch? Mark fährt sich durch die frisch gefönten Haare. Sie fliegen hoch, folgen seiner Hand wie hypnotisierte Gräser. Jeder Mann war schon, sagt Jana. Ich kann dir sagen, wie's war. Mark murmelt, verzichte. Sie lehnt sich zurück. Mark sitzt im Sessel, er hat keine Lust mehr, diese Frau ist eine Plage. Er klaubt Erdnüsse aus der Tüte vor ihnen. Jana nimmt seinen salzigen Finger und leckt ihn ab, sie schaut ihn unverwandt an, aber es ist nicht der Blick, den Mark sich wünscht. Ihre Zunge ist rosa, weiß und

pelzig oben drauf. Eine Katzenzunge. Er zieht seinen
Finger weg. Wieso erzählst du mir nicht, was du letzte Nacht gemacht hast? Zum Beispiel. Jana lacht, kann
ich gerne. Würde aber nicht halb so viel Spaß machen.
Du bist schon ganz aufgeregt. Süß. Sie krault ihm die
Haare im Hemdausschnitt. Das Gurren in ihrer Stimme greift auf seinen Körper über. Sie drückt ihre wa-
chen Brüste gegen ihn. Ihre Brustwarzen beobachten
ihn. Er weicht zurück, fragt: Wann gehst du endlich
zum Test? Sie hört nicht zu, knöpft sein Hemd auf, ein
Knopf springt ab. Der war locker. Hat nur auf mich
gewartet, der Kleine. Janas Stimme ist streichzart, sie
seufzt wohlig, greift in Marks Hose. Er atmet tief,
zieht unwillkürlich den Bauch ein, als ihre Finger sich
am Gürtel vorbeidrängen. Jana. Es sollte streng klin-
gen. Ich bestehe darauf. Sie reißt die Knöpfe seiner
Jeans mit einem Ruck auf. Ich auch. Er versucht, ihren
Kopf mit den Händen abzuwehren. Du mußt dich
testen lassen. Bitte. Nicht. Es ist zu spät. Jana schielt zu
ihm auf, ihre Haare liegen in seinem Schoß ausgebrei-
tet. Es ist ganz harmlos, sagen ihre Augen. Mark klam-
mert sich an die Holzlehnen des Sessels. Er hofft, daß

es bald vorbei ist. Sie setzt ab. Wenn du willst, gehe ich morgen früh, noch vor der Arbeit. Aber dann muß ich hier übernachten. Der Arzt ist viel näher von hier aus. Dieses Mal stülpt er selbst ihren Kopf über sich. Wir brauchen mehr Schraubenzieher, ist das erste, was ihm danach einfällt. Er krault ihren Nacken. Sie wischt sich den Mund ab, scheint zufrieden mit sich, steht auf. Sie nimmt fünf Mark und den Autoschlüssel von dem Bord an der Tür. Mark zieht ein Danke-Taschentuch aus seiner Hosentasche. Die Tür fällt zu. Er kniet vor dem Sofa und tupft und reibt. Jana bleibt weg, Mark gibt auf. Er sucht nach Zigaretten. Es sind keine da. Er ißt Gummibärchen. Die Tüte ist leer, Jana nicht da. Er tippt ihre Handynummer, der Teilnehmer ist zur Zeit nicht erreichbar. Sie hat ihre Tasche mitgenommen. Er braucht eine Zigarette. Draußen prasselt der Regen. Mark baut das Sofa zum Bett um. Die Latten drücken ihm ins Kreuz. Jana kommt nicht mehr, er schläft ein. Um sechs Uhr morgens klingelt es. Es pocht an die Tür. Mark schwankt zur Tür, er hält sich die Decke um den Leib gerafft. Jana drängt sich an ihm vorbei in die Werkstatt. Sie sagt kein Wort, zieht sich aus, kuschelt sich an ihn. Sie riecht nach Regen und Rauch. Mark ist zu müde. Er verschläft, hastig steht er auf, der Schwindel schlägt ihn zurück auf die Bettkante. Jana schläft noch. Sie hat eine Hand zwischen ihren Schenkeln vergraben, beißt sich im Schlaf auf die Lippen, Mark schaut sie an. Sie ist nicht hübsch, findet er. Du bist häßlich, sagt er. Sie hört ihn nicht. Er beugt sich zu ihrem Ohr. Du bist häßlich. Du hast häß- liche Titten, häßliche Lippen, häßliche Beine. Jana bewegt sich leicht. Mark muß seine Schwester im Krankenhaus abholen. Als er zurückkommt, ist Jana weg. Sie erscheint nicht mehr in der Werkstatt. Eine Woche lang. Sie ruft nicht an. Mark versucht es unter ihrer Handynummer, er erreicht sie nie.

Der Tag der Einheit, Feiertag. Mark liegt zu Hause auf dem Bett und träumt. Es klingelt. Er will Jana nicht reinlassen. Er legt die Türkette vor. Jana preßt die Knie zusammen, schaut gequält. Bitte. Ich muß mal. Hastig schiebt er die Kette zurück. Jana eilt aufs Klo. Während er sie plätschern hört, räumt er alles weg, was gefährlich werden könnte. Messer, Bettzeug, Feuer. Jana braust sich in der Wanne. Er tigert durch das Ein-Zimmer-Apartment. Der benachbarte Medizinstudent winkt ihm freundlich zu, Mark grinst zurück. Der Medizinstudent steht auf dem Balkon und feixt. Mark wundert sich. Er dreht sich um. Jana steht hinter ihm, sie trägt seine Teflonhose zu einer Art Windel gewickelt, sonst nichts. Der Medizinstudent gießt weiter

Blumen. Zieh die aus. Mark meint es ernst. Die war teuer. Jana tanzt ihm unter den Händen weg. Bin ich auch. Mark greift nach ihr, aber sie entwindet sich, verschanzt sich in der Küchenzeile. Schau mal. Mark steht fassungslos, als sie die Teflonhose an sich herabgleiten läßt. Jana setzt ihm nach. Sie leckt sich die Lippen. Zieh dich aus! Die Blumen des Medizinstudenten ertrinken fast. Mark zieht die Rollos herunter. Ich werde nicht mit dir schlafen. Wer redet von schlafen? Jana hat wieder ihre Butterstimme. Sie schlingt ihm die Arme um den Hals, drückt ihren Körper gegen seinen. Sie schiebt das Hemd hoch, die Hose herunter. Mark schwankt. Seine Jeans hängt ihm zwischen den Kniekehlen. Er fällt auf die Knie. Jana leckt an ihm herum, hängt sich an seinen Bauch wie ein Faultier, umklammert ihn. Sie dreht Mark auf den Rücken, setzt sich auf ihn. Mark schaut ihr zu. Er ist weit weg. Überall auf ihrem Bauch blüht nervöser Ausschlag. Ihre Brüste wippen. Mark hört sich stöhnen. Das Telefon klingelt, er läßt es klingeln.

Mark und Jana arbeiten wieder zusammen. Sie sollen einen großen Eichenholztisch für Filmaufnahmen bauen. Mark hievt die schwere Platte hoch, er spürt seine Leiste. Jana drechselt die Tischbeine. Sie haben das Radio auf höchste Lautstärke gedreht. Mark muß Jana bitten, ihm zu helfen. Sie stellt sich absichtlich ungeschickt an, schließlich läßt er sie die Zigarette halten. Wie sind deine anderen Liebhaber? fragt Mark, während er Holz sägt. Jana pafft ihm seine Zigarette ins Gesicht. Auch nicht besser. Wieso machst du's dann mit ihnen? Mark will es eigentlich gar nicht wissen. Jana ist guter Laune, schnippt Mark Asche auf den Kopf, grinst verschlagen. Das zersägte Holzstück fällt. Mark schaut zu Boden, richtet die Säge auf Jana, kommt näher, schaut auf sie herunter. Vielleicht solltest du über einen anderen Job nachdenken. Jana setzt

sich auf, greift nach einer Zigarette, schaut ihn for-
schend an. Es klingelt. Der Auftraggeber für den
Eichentisch steht vor der Tür. Er will sehen, wie weit
sie mit der Arbeit sind. Der Tisch streckt alle vier Beine in die Höhe. Der Auftraggeber faßt eines an. Es fällt
um. Jana kichert. Mit einer Drohung verläßt der
Auftraggeber die Werkstatt. Jana folgt ihm. Mark sieht
sie draußen vor dem silbernen Mercedes reden. Jana
schiebt sich eine Haarsträhne hinters Ohr, lächelt den
Auftraggeber an. Mark schließt die Werkstattür ab,
dreht das Radio auf höchste Lautstärke und setzt die
Kopfhörer auf. Morgen kommt eine neue Waschmaschine zur Reparatur. Er fängt an zu sägen.

Auf dem **Eisernen Steg**

Ich kannte mal einen, der saß auf dem Eisernen Steg
und steckte seine Hand in Eddas Armeeparka. Frank
hieß er. Die Brücke schwankte, als er dort mit Edda
hockte. Die beiden schwankten mit. Am Rande des
Tausendfüßlers, der über den Eisernen Steg zog, saßen
sie und steckten die Finger zusammen. Der Main unter
ihnen hatte die Farbe von gefrorener Entengrütze. Unter den Platanen schrien die Händler: Ein' Mack Stück!
Ein' Mack Stück! Kleider und Schuhe lagen in wilden
Haufen vor ihnen. Die Leute versuchten Beute zu machen. Sie zerrten an jedem Ärmel, Kragen, Schal und
Schnürsenkel, den sie entdeckten, schauten kurz auf
die Sachen und schmissen alles wieder oben auf den
Berg. Über den Eisernen Steg kamen neue Kunden aus
der Stadt.

Frank und Edda zählten die vorbeilaufenden Schuhe auf der Brücke. Edda die glänzenden mit Schnallen und Schnüren, die halbhohen mit Absatz. Stiefel, wenn sie aus Leder waren. Frank zählte Slipper, Pumps und Turnschuhe. Was ist mit Clogs? fragte Edda. Wer zählt die? Frank entschied, Clogs seien Joker, und wer sie zuerst sehe, müsse laut schreien. Er ging bald in

Führung, weil Edda nie entscheiden konnte, ob die Schuhe halbhoch, aus Kunststoff oder aus Leder waren. Sie starrte zu lange auf den Main und drückte Franks Hand an ihren Körper. Er hätte gern die Hand frei gehabt. Er wollte sich Notizen darauf machen. Doch er ließ sie Edda. Einer kam vorbei, den kannten sie. Seine Schuhe waren dreckig. Er sagte, die Marktstände schließen um zwei, da gibt's sicher das ein oder andere Brötchen. Die beiden am Boden nickten. Die Uhr am anderen Flußufer zeigte kurz vor zwei. Sie blieben sitzen. Es war noch zu warm für den Armeeparka und die drei Pullis übereinander. Wegen der Sonne blieben Stiefel und halbhohe Schuhe zu Hause. Edda war das egal. Sie zählte einfach zehnmal ihre eigenen Stiefel mit und holte auf. Als Frank einmal

mußte, gingen sie zum Ufer. Er suchte sich einen
Baum, während Edda die Einkaufstüten bewachte. Auf
dem Boden lagen Kastanien. Sie fühlten sich gut an.
Zwischen rissigem Daumen und roten Fingern drehte
Edda Kastanien, bis Frank zurückkam. Er faßte ihr hinter die Ohren, flüsterte in die gelben Haare, du bist
wunderschön.

Am Kiosk neben der Brücke kauften sie zwei Dosen
Bier. Zusammen saßen sie wieder auf der Brücke. Sie
wanderten mit der Sonne. Zwischen Wasser und Himmel glänzte Franks Nase, die immer wie poliert war.
Er hatte eine scharfgeschnittene Nase, ohne Buckel.
Fast wie eine Pyramide, dachte Edda und vergaß wieder, Schuhe zu zählen. Frank nicht, der war gewissen-
haft. Vor Jahren lernte er die Telefonnummern seiner
Freunde auswendig, um sie jederzeit anrufen zu können. Da Frank niemanden beleidigen wollte, lernte er
alle Nummern. Er merkte sich die Nummer seiner
Bäckersfrau, die der Kollegin aus der untersten Etage,
die ihm mal ein Wurstbrot mitgebracht hatte, die des
Jungen, der sein Rad auf Franks Auto hatte fallen las-

sen, die Nummer der Familie, an deren Tisch er im
Teneriffa-Urlaub vor drei Jahren gesessen hatte. Die
Nummer der Telefonauskunft konnte er sich nicht
merken. Eines Tages wachte Frank auf und war nur
noch damit beschäftigt, sich aller Telefonnummern zu
vergewissern. Da ging er zur Post und kündigte seinen
Anschluß. Genau wie Telefonnummern stapelte Frank
jetzt Schuhe in seinem Kopf. Slipper, Pumps und Turnschuhe, Slipper, Pumps und Turnschuhe. Er hatte es
nicht verlernt. Rote, braune, schwarze. Mit Streifen,
Mustern, ohne Lack, mit Klettverschluß, zum Schlüp-
fen. Hottentotten-Boots, links gelatschte, rechts gelatschte, orthopädische Schlappen, einer ging barfuß.
Den buhte Frank aus. Manchmal sah er zweimal das
gleiche Paar. Er überlegte, eine Paschregelung einzu-
führen. Eine, die ihn bevorteilte, Edda fiel das nicht
auf. Sie träumte. Früher, als sie im Kassenhäuschen des
Parkplatzes hockte, hatte sie den Autos Menschen zu-
geordnet. Dabei konnte man nicht schummeln. Der
Mercedes paßte zu dem schlanken Herrn mit Piloten-
brille, das Motorrad zu dem Altrocker mit Gummistie-
feln. Sie hatte sich Geschichten ausgedacht, die diese

Menschen unterwegs auf den Straßen erleben könnten. Wilde Tramperinnen, die ihnen die Köpfe abris-
sen oder sie ausraubten. Der Mann mit der Pilotenbril-
le bot ihnen im letzten Augenblick seine Kreditkarte
samt Geheimnummer an, aber die wollten die Tramperinnen nicht. Sie sagten Sachen wie: Für die Ehre
Randolfs. Nimm das, du Hund! Und stießen die Männer in den Straßengraben. Manchmal raubten sie auch
die Kinder von den Rücksitzen und brachten sie zu
fernen Indianerstämmen. Edda liebte Indianer. Sie
selbst hatte keinen Führerschein, fuhr nicht schwarz,
trampte nie. Frank erledigte das für sie. Er ging zu den
Ämtern und Behörden. Sie holte ihm dafür das Essen.

Edda saß da und wartete auf den Joker, die Clogs. Sie
hatte es fast vergessen. Der Menschenstrom auf dem
Eisernen Steg begann sich umzudrehen. Die Leute
vom Flohmarkt gingen heim. Sie trugen ihre Beute in
Supermarkttüten. Einer hatte ein Ölfaß gekauft, ein
dreckiges, das rollte er heim und freute sich wie ein
König. Edda starrte durch die vorbeilaufenden Beine
auf den Fluß, als das Mädchen kam. Es war ungefähr

fünf Jahre alt, und seine Haare waren gelb. Edda blickte dem Mädchen nach. Die Kleine drehte sich um und zeigte ihr eine lange Nase, verdrehte die Augen. Frank spürte Eddas Hand in seiner zucken. Edda stand auf, packte das Kind am Ärmel und schrie. Sie hat den Joker gefunden, dachte Frank noch. Aber das Mädchen trug gar keine Clogs. Es hatte nur gelbe Haare. Edda stand in der Herbstsonne, hielt das Kind am Ärmel fest und schloß den Mund. Die Menschen liefen einen Bogen um sie herum. Das Mädchen wollte etwas sagen, riß sich aber los und lief davon. Edda klappte zusammen, fiel mitten auf die Brücke. Frank vergaß die Schuhe. Er ging zu ihr und zog sie hoch. Was war denn das? fragte er. Sie hatte meine Haare, sagte Edda. Frank nickte. Aber jetzt ist sie weg. Edda seufzte. Du hast gewonnen. Halt mich. Sie verbarg ihr Gesicht an seiner Schulter. Wir können Hunde zählen gehen, schlug Frank vor. Edda war mißtrauisch. Mit oder ohne Leine? Frank grinste. Die Menschen eilten immer schneller und mit festen Tritten. Als Frank und Edda den Eisernen Steg verließen, schwankte der Boden immer noch.